トガリ山のぼうけん⑤

ウロロのひみつ

いわむら　かずお

理論社

もくじ

こんやも、トガリィじいさんのへやにやってきたのは、三びきのトガリネズミの子どもたちだ。名前は、キッキにセッセにクック。近くに住む、トガリィじいさんのまごたちだ。みんな、トガリィじいさんの話が大すき。

「よぉし、トガリ山のぼうけんの、つづきをはじめよう」

トガリィじいさんが、じょうきげんでいった。

「まってました。トガリ山のぼうけん！」

キッキがさけんだ。

「やったぜ」

セッセが、パチッとゆびを鳴らし

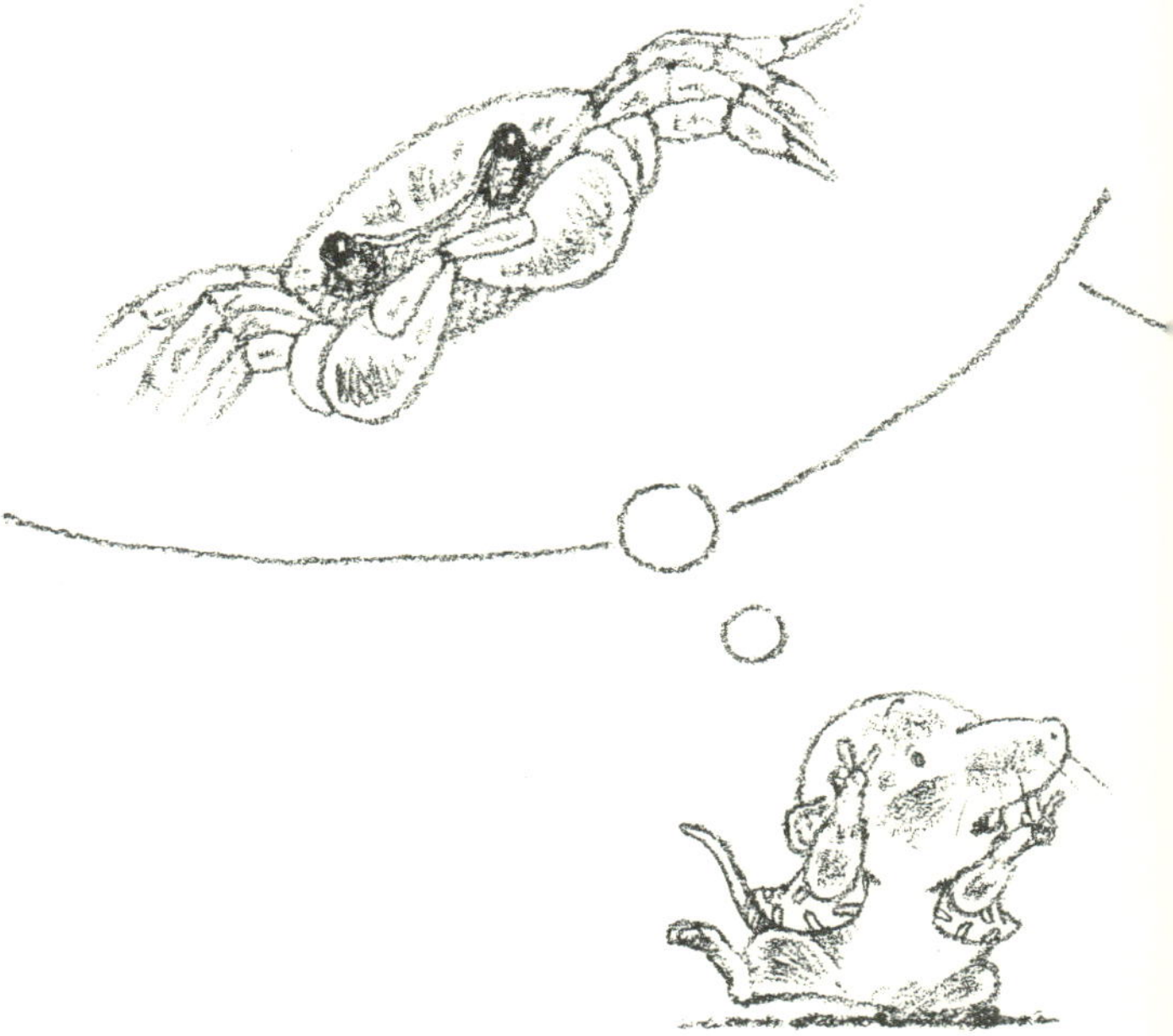

た。

「やあ、まあ、ねえ、の話！」

クックが目をかがやかせた。

「その話は、もうきいたろ」

セッセがいうと、

「じゃ、さわがに、サワガニ、の話！」

クックが両手《りょうて》ではさみをつくった。

「それも、もうきいたじゃないか」

セッセが、口をとがらせて、クックをにらみつけた。

「じゃあ……」

クックが、てんじょうを見あげて考えていると、

「つづきっていうのは、きのうきいた話の、その先の話っていったでし

よ」

キッキが、まるでおかあさんみたいにいった。

「ふふ。クックは、やあ、まあ、ねえと、さわがに、サワガニ、のところが気にいったんだな。そこは、またこんどな。さて、ゆうべはどこまで話したかな」

トガリィじいさんは、にこにこしながら、三びきの顔を見まわした。

「わかれ道が五本もあって、どっちへ行っていいか、わからなくなった」

「ヤマネにきいても、サワガニにきいても、さっぱりわからない」

「滝《たき》におちて、ギンネズミにたすけてもらったんだ」

「ギンネズミも道はしらなかった」

「あいつも、道にまよったんだ。まよい、さまよい、月のよい、とかいってた」

「まっくらヤミの中で、カサッカサッっていう音においかけられたんだ」

「ムササビのウロロがたすけてくれた」

キッキとセッセが、かわるがわるいった。

「ウロロの背中《せなか》にのって、空を飛《と》んだんだぞ」

クックもまけずに、空を飛ぶかっこうをしていった。

「そうそう、わしは、あんな高い空を飛ぶのははじめてだった。大きな

月がわしたちの背中《せなか》におおいかぶさり、たくさんの星《ほし》たちが、わしたちをとりかこんだ」

トガリィじいさんも両手《りょうて》を広げ、星空を見まわすように、てんじょうを見あげた。

「ぬしさまのところへ行くんでしょ」

キッキがいうと、

「ぬしさまってだれ？」

クックがトガリィじいさんのひざに手をのせた。すると、

「ぬしさまは、森一番の年寄《としよ》りで、森一番の大きなかただぜ、おまえ」

セッセがウロロのまねをしていった。

「こまったことや、なやみをきいて

くれるんでしょ」

キッキがトガリィじいさんを見て、

「それで、道にまよったあいつは、
どうしたの」

キッキが、むねの前で両手をにぎりしめた。

「おじいちゃん、はやく、はやく、
つづき」

クックが、トガリィじいさんのひざをたたいた。

「わかった、わかった。それじゃ、ゆうべのつづき、トガリ山のぼうけんの話をはじめるとしよう」

トガリィじいさんは、鼻《はな》をひくひくと動《うご》かして、めがねにちょっと手をやった。

1

シャックリびっくりシャクトリムシ

ウロロはシッポをさげながら体をつぼめ、太《ふと》いブナのみきにとびついた。わしはウロロの頭にしがみつき、テントはわしの頭にしがみついた。ウロロはすぐにブナのみきをかけのぼり、よこにはりでたえだの上でひと息《いき》ついた。

「はらへらないか、おまえ」

ウロロがあたりを見まわしながらいった。

ウロロはえだ先の方へ行くと、小えだをおって葉《は》っぱを口にほうばった。

「おまえも食え」

ウロロは二、三まい葉っぱをちぎって、頭の上のわしにさしだした。ウロロのしんせつはうれしかったけれど、わしはこまってしまった。

「ぼくたちトガリネズミは、

木の葉は食べないんだ」

わしが小さな声でいうと、

「ふん、そうか」

ウロロは葉っぱをじぶんの口におしこんで、手をのばすと、もう一本小えだをおった。

「これどうだ。うまいぞ、おまえ」

ウロロはブナの実《み》を一つちぎって、わしにすすめた。

「ごめんウロロ、ぼくたちトガリネズミは、木の実も食べないんだ」

ウロロのゆび先のブナの実は、ケムシみたいに、もしゃもしゃとみどりいろの毛《け》がはえていた。

「じゃ、テント、食えよ、おまえ」

ウロロがいうと、テントはびっくりして、

「おまえ、食わないよ、ぼく……」

とあわてた。

「ふーん、じゃ、なに食うんだ、おまえたち」

ウロロはゆび先のブナの実を口にほうりこんだ。

「ぼくは、ミミズ……」

わしがいいおわらないうちに、

「ケッケッ」

ウロロがとつぜん大声をだした。わしはびっくりしてのけぞり、ウロロの頭の上からころがりおちた。

「だいじょうぶか、おまえ」

ウロロがしんぱいそうに、体をひねってわしの方をのぞきこんだ。わしはウロロの背中《せなか》をころがって、シッポと背中のあいだの、ふさふさした毛《け》の中にうずまってとまった。あぶなく、木の下におちてしまうところだった。

「テントはどこ？」

わしはウロロの毛をかきわけてさがした。

「ここ、テント、ここ」

テントが、ウロロの毛の中で、さかさまになってもがいていた。

「わるい、わるい、おどかしちゃって」

ウロロが頭に手をやって、わしたちに顔を近《ちか》づけた。

わしとテントは、ブナのえだの上におりた。

「だけどおどろいたな。ミミズなんか食うのか、かわってるな、おまえ」

ウロロは目玉をクリクリと動《うご》かして、

「テントは、なに食うんだ」

といって、あごをえだの上におしつけて、テントを見た。

「アブラムシ」

テントがいうと、ウロロはびっくりして、ひょいと顔をあげ、

「そんなもの食うのか、かわってるな、おまえ」

まるい目をますますまるくして、テントを見つめた。

「そうか……」

ウロロはうでぐみをしてつぶやいて、

「だけど、ミミズは木の上にはいないぜ……」

と、まわりのブナの葉《は》のうらをのぞきこんだ。

すると、なにか見つけたらしく、ウロロは、ブナの葉《は》を一まいちぎると、

「これ食うか、おまえ」

と、わしの前においた。見ると、ブナの葉のうらにケムシが一ぴきいて、こっちをにらんでいる。ぐっすりねこんでいるところをじゃまされて、おこっているのだろう。ありったけの毛《け》をさかだてててふるえている。

わしはイモムシは食べるが、ケムシはすきじゃないんだ。毛がのどにつかえてイガイガして、どうもうまくない。わしが顔をしかめていると、ケムシは毛をさかだてたまま、大いそぎで、にげていった。

「ケムシは食わないのか、おまえ。そうか、まってろ」

ウロロは、ひょいととなりのえだにとびうつり、キョロキョロしながらなにかをさがしている。そして、小えだを一本おると、もどってきた。

「これはどうだ、おまえ」

わしの前におかれた小えだに、シャクトリムシが一ぴきとまっていた。きゅうに行き先をなくして、頭を右に左にふってあわてている。

「食うか、おまえ」

ウロロがいたずらっぽくわらってわしの顔をのぞきこんだ。わしはシャクトリムシのこまった顔をのぞきこんだ。シャクトリムシはおられたえだの、もとのところでむきをかえ、

「―シャク……―シャク……―シャク……」

と、やっときこえるぐらいの小さな声でつぶやきながら、小えだの先の方へ大いそぎでひきかえしていく。わしは、シャクトリムシのしんけんな顔を見たら食べるとわるいような気がしたし、ウロロのしんせつを考えると、食べなきゃわるいような気がしてまよった。

シャクトリムシが小えだの先まで行って、また頭をもちあげ、どっちへ行こうかまよいはじめたとき、わしはさっとつまんでそのままのみこんだ。

「どうだ、うまいか、おまえ」

わしのようすをじっと見ていたウロロが、うれしそうにいった。

「うん……、まあ……」

わしは目をしろくろさせて答えた。なんだか、シャクトリムシが、わしのおなかの中をはかっているような気がしてきたのだ。

「―シャク……―シャク……―シャク……」

おへそのあなから、シャクトリムシの声がきこえてくるような気さえする。

するとつぜん、ヒイック！わしの体がひきつった。シャックリだ！　どうしよう。おなかの中でかってにうまれたシャックリが、ヒイックとわしの体をひきつらせ、頭のてっぺんからぬけていく。ほっとやすむと、またすぐ、ヒイック！とやってくる。

「トガリィ、シャックリ」

テントがしんぱいして、わしの肩《かた》にのぼってきた。

「シャクトリムシは、シャックリになるのか、おまえ」

ウロロも、おどろいて、わしの顔をのぞきこんだ。

ヒイック！

また大きなシャックリがやってきて、わしの体がひきつった。すると、そのはずみで肩の上からテントがころがりおちた。わしはとっさにひざをついて、ブナのえだの上にひっくりかえったテントをだきかかえた。

「大きな、シャックリ、びっくり」

テントがうでの中でさけんだ。

つぎのシャックリはすぐにはこなかった。わしがきゅうにかがみこんだので、シャックリもびっくりして一回休んだのかもしれない。だが、さかさまになったテントがもとにもどり、わしが立ちあがると、

ヒイック！

またシャックリがやってきた。

わしは大きく息《いき》をついて、つぎにくるシャックリにそなえて身《み》がまえた。すると、

「ケッ！」

とつぜんウロロがわしの背中《せなか》をつついた。

「わっ！」

わしは前につんのめってたおれ、はらばいになってブナのえだにしがみついた。見ると、わしの目の前にシャクトリムシがいる。いつのまにか、わしのおなかからとびだしたのだ。

わしはえだにしがみついたまま、シャクトリムシを見つめていた。シャクトリムシは、しばらくげんなりしていたけれど、そのうちわれにかえったように立ちあがり、あたりをキョロキョロ見まわした。

「シャクトリムシ、生きてる」

テントがそばにかけよると、シャクトリムシは、あわてて動《うご》きだした。

「三ジャク……二シャク……四シャク……一シャク……五シャク……」

もう、なにをどうはかっているのかちんぷんかんぷん、でたらめにかぞえながら、体をまるめてはのばし、まるめてはのばし、えだのうらがわへむかってにげていった。

「シャックリ、とまった！」

テントはわしを見あげていった。

2　ヒックのなやみ

ヒイック！

また、シャックリの音がきこえて、わしは、はっとしておなかをおさえた。だが、わしの体はひきつらなかったし、鳴ったのはわしののどではなかった。

ヒイック！

またきこえた。シャックリのぬしは、何本かむこうの木の上にいるらしい。

「あれは、ヒックのやつだ」

ウロロが体をおこして、くらい森の中をさがした。

「ヒックのやつ？」

「そう、ヒックさ。この森にすむ、おれとおなじムササビだよ」

「ヒイック？ヒック？」

テントが、シャックリのまねをして、ちょっと羽《はね》を広げていった。

「あいつ、きのうからシャックリがとまらなくてこまっているんだ。シャックリがヒイック！で、名前がヒ

ックというのはぐうぜんさ」

「かわいそうだな、シャックリがとまらないなんて」

いま、シャックリがとまったばかりのわしには、シャックリのつらさがよくわかった。

「とまらないなんて、かわいそうだな、シャックリは」

テントがうでぐみをして首をかしげた。

ヒイック！

すがたは見えないけれど、また、おなじくらがりから、シャックリがきこえた。

「さっきウロロロがぼくにやったみたいに、びっくりさせれば、ヒックのシャックリもとまるかもしれないよ」

わしはウロロロの顔を見あげた。

「それが、もうやってみたんだぜ、おまえ。そっとヒックのうしろから近《ちか》づいて、ケッと背中《せなか》をたたいたら、ヒックのやつ、ほんとにおどろいて、えだから足をふみはずしてまっさかさま。とちゅうのえだにひっかかってもがいているからたすけてやると、きゅうにおどかすなんてひどいとおこっている。シャックリをとめるためだとわけを話したが、それならそうと、おどかす前にいってくれと、まだおこっている。おどかす前におしえたら、おどかしてもおどろかないぜ、な、おまえ」

「それで、シャックリはとまったの？」

「おこっているあいだはとまっていたが、えだの上にもどったら、すぐにまたヒイック！さ。ヒックのシャックリはびっくりじゃとまらないぜ、おまえ」

ウロロは、うふっとわらって、

「まだあるんだ。息《いき》をとめて、水を三口《みくち》のむといいと、イノシシのとっつぁまにきいたらしい。ヒックのやつ、ためしてみるから見ててくれっていうのさ。ところが、谷川に顔をつっこんだとたん、鼻《はな》に水が入って大さわぎ。目から鼻から口から、水をポタポタおとして、セキとクシャミとシャックリをどうじにだして、顔をくしゃくしゃにしていた」

「それで、シャックリはとまったの？」

「セキとクシャミはとまったが、シャックリはとまらなかったぜ、おまえ」

ウロロは、うふっ、うふっとわらって、

「まだあるんだ。シャクトリムシさ。ヒックのやつ、シャクトリムシをのむといいと、テンのチムチムにきいたらしい。チムチムという名のテンだよ。生きたまのめば、シャクトリムシがおなかの中から、シャックリをとってでてくるんだとさ。ヒックはすっかりしんじて、シャクトリムシをのみまくったぜ、おまえ」

「それで、シャックリはとまったの？」

「それが、シャクトリムシがおなかにいるあいだはとまるらしい。シャクトリムシをはきだすと、またヒイック！さ。たまらないのはシャクトリムシだ。だれだって、ヒックのおなかの中なんかに入りたくないよな。うわさはたちまち広がって、ヒックのシャックリをきいたとたん、そこらじゅうのシャクトリムシは、あっ

というまにかくれてしまうんだっていうぜ、おまえ」

ウロロは、うふっ、うふっ、うふっとわらって、くらがりの中のヒックをさがした。

すると、わしたちがいるブナの木の二本むこうの木の上から、なにかがスーッと飛《と》んだのが、ぼんやりと見えた。

「ヒックか」

ウロロがよぶと、

「やあ」

すぐとなりの木の上で声がした。ヒックはえだづたいにわしたちの方へやってきた。ウロロよりいくらか体の小さいムササビだ。

「シャックリのぐあいはどうだ、おまえ」

「あいかわらず……ヒイック！……さ」

ヒックは手のひらでむねをたたいて、

「きょうは、シャクトリムシがさっぱり見つからない。だれか、シャクトリムシをのむやつが、ほかにいるの

かもしれない。しらないかい、ウロロ」

「えっ、おれ、そんなやつしらないぜ」

ウロロはよこ目でちらっとわしを見て、

「ヒックがくると、シャクトリムシはみんなかくれちゃうって、テンのチムチムがいってたぞ、おまえ」

ウロロはヒックのいるえだの下をのぞきこんだ。ヒックもつられて、ちょっとのぞいて、ふうとため息《いき》をついた。

「ぼく、いまから、ぬしさまのところへ行ってみようと思っているんだ」

……ヒイック！……と思っているんだ」

「そうか、おれたちもこれから、ぬしさまのところへ行こうと、思ってたところだぜ、おまえ。な」

ウロロがわしとテントを見た。

「ふーん、ウロロにもなやみがあるのか」

ヒックがいうと、ウロロはあわてて、

「えっ、べつにおれはなんでもないよ。こいつらさ、道にまよったっていうんだ」

と鼻《はな》に手をやった。

「ぼくたち、トガリ山へのぼるとちゅうなんだ」

「とちゅうの道に、まよって、まいった」

「トガリ山にのぼるの、それは……ヒイック！……すごい。ぼくも一度《いちど》、トガリ山のてっぺんから飛《と》んでみたいと思っているんだ。きっと、どんな遠《とお》くまでだって、飛べ……ヒイック！……る……よ……あっ！」

いちだんと大きなシャックリがでて、ヒックはあわてて、えだにしがみついた。

「しゃくにさわるシャックリめ。トガリ山のてっぺんから飛び立ったとたん、ヒイック！ときたらたいへん。うっかり体をつぼめて、地面《じめん》についらく。いててて」

ヒックは目をぱちくりさせておしりをさすった。

「さっきなんかひどいものさ。これから木にとびつく、というときにヒイック！ときた。つい目をつむってしまって、いやというほど鼻を……ヒイック！……ぶつけて、ついらく……」

ヒックは鼻《はな》をさすりながら顔をしかめた。

「それじゃ、ぼくは、ひと足先にぬしさまのところへ行ってるよ。ミロロがいっしょに……ヒイック！……行こうって、とちゅうでまってくれているんだ」

ヒックは、ブナのみきにとびつくと、カッカッとつめをたててよじのぼっていった。ブナの木の上でもう一度《いちど》、ヒイック！とシャックリがきこえて、それきりしずかになった。

「ミロロって、だれ？」

わしはウロロの顔を見あげた。じっと遠《とお》くを見つめていたウロロが、はっとわれにかえって、

「えっ、おれ、べつに」

と、あわてた。鼻が赤くなったように見えた。

「シャクトリムシをのむと、シャックリがとまるなんて、うそだよね」

クックがいうと、

「シャクトリムシは、ほんとうはシャックリトリムシなんだから、ね、おじいちゃん」

キッキがニヤニヤわらった。

「シャックリをとめるのは、うっと、息《いき》をとめるのが一番だぜ」

セッセが口をふくらませた。

「えーと、百までかぞえるといいんじゃないの」

クックがいうと、

「それは、ねむれないときのことでしょ。一番いいのは、コップのむこうがわから水をのむの。すぐとまる

よ。ほんとだから」

キッキが、水をのむまねをしてみせた。

「じゃ、魚《さかな》はいつも水の中だから、シャックリはすぐとまるね」

クックがいうと、

「なにそれ!?」

キッキがにらみつけた。

「魚もシャックリするのかな」

セッセがうでぐみをして考えた。

「ミミズも、土の中でシャックリするのかな」

クックもこしに手をあてて考えた。

「鳥も空の上でシャックリする?」

キッキもほっぺたに手をあてて考えた。

3 ウロロのひみつ

ヒックが行ってしまうと、わしはきゅうにおなかがすいてきた。だが、もうシャクトリムシはごめんだ。わしはウロロにたのんで、木の下におろしてもらった。おち葉《ば》の下をさがすと、すぐにミミズが見つかった。

「ふーん、そんなもん食うのか、おまえ」

ウロロはしきりにかんしんしながら、よこに来て、わしがミミズを食べるのを見ていた。

テントはリュックのポケットにもぐりこんで、またねむってしまった。

「もういいのか。じゃ、ぬしさまのところへ行くか、おまえ」

わしがミミズを一ぴき食べおわるのをまって、ウロロが背中《せなか》をこっちへむけた。

「しっかりつかまれよ、おまえ」

ウロロは、そばのサワグルミの木によじのぼった。てっぺん近《ちか》くのえだまでのぼると、ひと息《いき》ついて、背のびをしてあたりをうかがった。

西にかたむきはじめた月が、霧《きり》のような光のつぶを、森じゅうにふりそそいでいた。

「ふうー」

ウロロがため息《いき》を一つついた。なんだかすこし元気がないように思える。顔は見えないが、月にてらされた耳や肩《かた》が、しょんぼりしているように見える。

「どうかしたの、ウロロ」

わしはウロロの頭のうしろから、よこ顔をのぞきこんだ。

「えっ、べつに、おれ……」

ウロロは、はっとしたように、まるまった背中をのばした。

「それじゃ、行くぞ」

ウロロは身《み》がまえると、

サワグルミの木のえだをけって空中に飛《と》びだした。えだとえだのあいだをぬって飛び、トチの木のみきにちゃくちした。トチの大きな葉《は》っぱのあいだから、まるい金いろの実《み》が、月にてらされてのぞいていた。

ウロロはえだにとびうつると、あたりのようすをうかがって、

「ふうー」

と、また小さなため息《いき》をついてしゃがみこんだ。

「はーう」

わしはあくびをかみころした。ミミズを食べておなかがいっぱいになったら、ねむくなってきたのだ。

「トガリィ、鼻《はな》赤くなるか、おまえ」

ウロロがとつぜんつぶやくようにいった。

「鼻?赤くなる?」

わしがききかえすと、ウロロはだまったまま、わしのへんじをまっている。

「ぼくの鼻は、いつも赤いよ」

わしがいうと、

「そうじゃなくて、とくべつ赤くなることとないか、おまえ。だれかにであったときとか……」

「とくべつ赤くなる？べつに、そんなことないけど」

「そうか……」

ウロロは考えこんだ。

どうもへんだ。はじめて会ったときはあんなに元気だったのに、ヒックとわかれてからきゅうに元気をなくしてしまったように思える。

ウロロのことも気になったが、わしはますますねむくなってきた。このままだと、いねむりをして、ウロロの頭の上からおちてしまうかもしれない。

「はーふう」

また、大きなあくびがでた。

「ウロロ、ぼく、すごくねむくなってしまった」

わしはとうとうがまんができなくなって、ウロロの頭の中に顔をうずめた。

「夜もねるのか、おまえ」

ウロロがわしを見ようと首をまわすと、わしはウロロの頭といっしょにウロロの顔のうしろにまわってしまった。頭のうしろと顔は、いつだってむかいあうことはないんだ。わしはねむい頭でそんなことを考えた。

「やっぱりかわってるな、おまえたち。ふつうは、ひるはねて、夜はおきてるもんだぜ、おまえ」

ウロロはわしと顔をあわせるのをあきらめて、月にむかっていった。

「ぼくたちトガリネズミは、夜もひるもねむるし、夜もひるもおきているよ。それが、ふつうのトガリネズミだよ」

わしはねむい口をやっと動《うご》かして、いった。

「それじゃ、すこしねろ、おまえ。近《ちか》くにいいねぐらがあるから、つれてってやるよ」

いいおわるとすぐに、ウロロはトチのみきをかけのぼった。

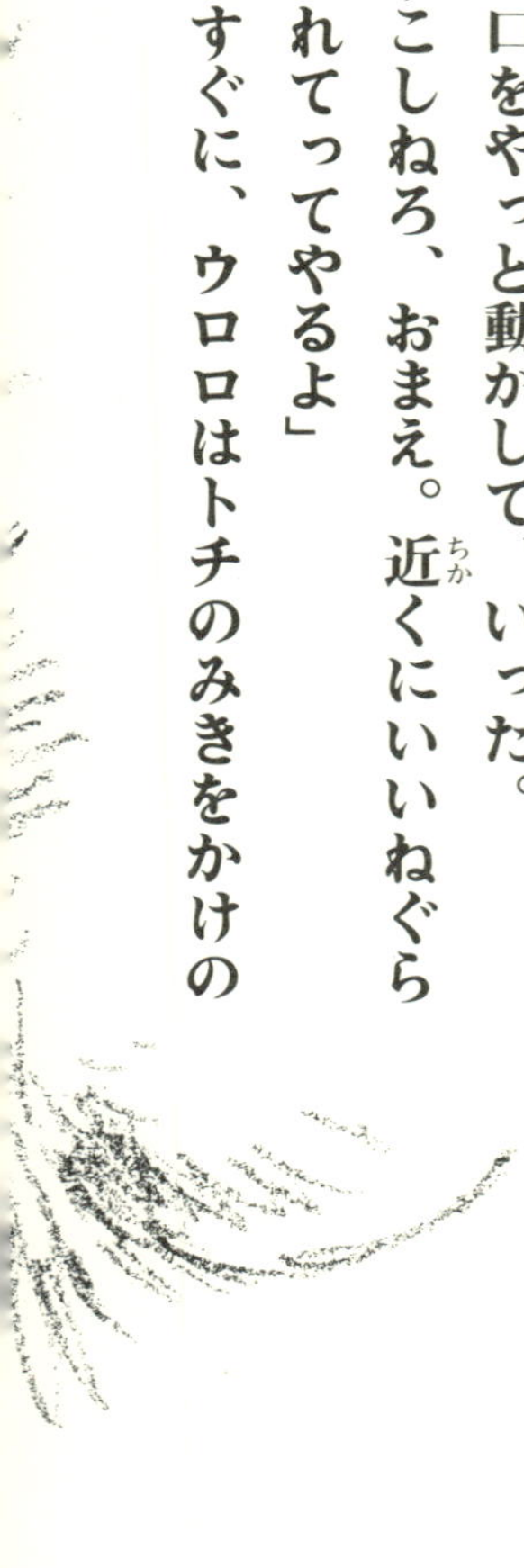

ねむってはいけないと思うのだが、ついまぶたがおちてきてしまう。わしはひげをピーンとひっぱって、ほっぺたをパンパンたたいてねむけをおいはらうと、ウロロにしがみついた。

ウロロは、わしとテントと大きな月を背中《せなか》にしょって、ふわっと夜空にうかんだ。

太《ふと》いミズナラの木のみきにとびついた。すこしのぼるとみきにコブがあって、中がうろになっていた。ウロロはちゅういぶかくのぞきこんだ。

「だいじょうぶ、だれもいない。ここはおれがときどきつかうねぐらさ。たまに、フクロウのやつが入りこんでいたりすることがあるから、ようじんしたんだ」

ウロロはわしを頭にのせたまま、うろの中にもぐりこんだ。中はムササビが二ひきぐらいは入れるほどの広さだ。ウロロがはこんだのか、かわいたコケがしいてある。

「おれこのあたりで、なにか食っているから、安心《あんしん》してねてろ、おまえ」

ウロロはそういうと、あなからそとにでていった。

「おまえ、食ってやるから、安心してろ?」

背中のテントが、とつぜんさけんだ。

わしはリュックをおろして、ポケットの中をのぞいた。テントは、スースーねいきをたててねむっている。いまのはねごとらしい。

わしはリュックのそばにやわらかいコケをあつめて、その中にもぐりこんで目をつぶった。

「トガリィ、もうねたか」

うろのそとで、ウロロの声がした。

「う、う、うん、まだおきてる……」

わしがねむい声でこたえると、

「あのな、これ、ひみつだぞ、な、だれにもいうな、おまえ」

ウロロがつぶやくようにいった。

「あのな、おれ……、おれ……、おれ、鼻《はな》が赤くなるんだ、おれ、おまえ」

ウロロはてれくさそうにいって、ふっと小さなため息《いき》をついた。ウロロはうろの近《ちか》くのえだにすわり、月でも見つめているのだろう。わしは半分ゆめの中に入

りこみながら、月の光のようにたよりない、ウロロのつぶやきをきいていた。

「おれ、かのじょに会うと、おれ、鼻が赤くなるんだ……」

遠《とお》くで、ヨタカの鳴く声がかすかにきこえた。

「トガリィ、もうねたか」

すこしあいだをおいて、またウロロがいった。

「まだ……」

わしは、それだけいうのがやっとだった。

「おれ、かのじょ、すきだけど、かのじょ、おれ、すきじゃないかも……」

ウロロがはずかしがりながら、いっしょうけんめいひみつをうちあけているのに、わしはねむくてねむくて、どうにもがまんができなかった。

「かのじょ、おれ、すきだけど、かのじょ、おれ、すきじゃない？」

テントの声がした。ねむい目を半分あけると、テントがポケットからはいだして、リュックの上にすわっているのが見えた。

「ああ、おれ、かのじょすきだけど、おれ、鼻《はな》が赤くなって、おれ、いえない……」

「おれかのじょ、おれ鼻が、おれいえない？」

ウロロとテントの声がごちゃごちゃになって、わしの頭の中をぐるぐるとまわっていた。わしは、いつのまにかねむってしまった。

4

カメを背《せ》おったイノシシ

「おきたか、おまえ」

目をあけると、ウロロの声がした。そとから入口をふさいで、ウロロの顔がのぞいていた。わしは、ぐっすりねむったようだ。

「そろそろ、ぬしさまのところへ行こうぜ、おまえ」

ウロロがいうと、

「行こうぜ、そろそろ」

すぐそばでテントの声がした。

「テント、おきていたのか」

「うん、トガリィねているから、ぼく、おきてた」

テントはリュックの上にすわって、しきりにしょっかくを動《うご》かしていた。わしはテントをのせたまま、リュックを背《せ》おった。ウロロがうしろの中に手をさし入れてくれた。

ウロロのうでをつたって、頭の上までのぼったときだ。下の方からだれかの声がきこえてきた。

「やれやれやったぞ　山の道

やっと見つけた　山の道
たすかったぜ」
カロン
「あいつだ！」
わしとテントが、
どうじに声をだした。
「あいつって、あの、
ネコのことか、おまえ」
ウロロが声をひそめていった。
「くらい山道　つらい道
なやみなやんだ　ヤミの道
さがしもとめて　もとの道
ぬしさまにそうだんしよう。きっと道がひらける」
カロン　カロリン
すがたは見えないが、あいつの声が、ミズナラの木の根《ね》もとあたりをすぎていく。
「あいつ、いま、ぬしさまにそうだんするとかなんと

かいってたな、おまえ」

「いってた、とかなんとか」

わしたちは、じっと耳をすました。カロン、カロリンと、すずの音だけがしばらくきこえていたが、そのうちなにもきこえなくなった。

「こまったぞ、ぬしさまのところでであったらどうしよう。あいつ、ぼくを食べるかもしれない」

「この森には、ぬしさまのもとでは、食いあわないやくそくがあるけれど、あいつは、この森のものじゃないからな……。だけどあいつ、どうしてぬしさまのことがわかったんだ、おまえ」

ウロロがすずの音がきえていった森のおくを見つめた。

すると、ガサガサとおち葉《ば》が

鳴って、また、だれかがミズナラの木の根《ね》もとの方へやってくる。フッ、フッと、鼻《はな》を鳴らすような音がきこえた。

「イノシシのとっつぁまだ」

ウロロが首をのばして、じっとミズナラの木の根もとをのぞきこんだ。

「そうか、あいつにぬしさまのことをおしえたのは、とっつぁまかもしれないぞ、おまえ」

ウロロは小さくうなずいて、

「とっつぁまにきいてみよう。しっかりつかまってろ、おまえ」

といってしっぽを下にしたまま、ガリガリと音をたてて、ミズナラの木のみきをおりていった。一番下のえだまでおりてウロロはとまった。

「ウロロではないか」

イノシシが立ちどまり、わしたちを見あげていった。

「ああ、おれだよ、とっつぁま」

ウロロはえだにこしをおろした。

「ところで、とっつぁま、ネコに会わなかったかい。このあたりでは見かけない、へんてこなネコだよ」

「ああ、会ったとも、この下でな。いましがたここをのぼっていったであろう。ヤブの中をさまよっておったから、せっしゃが山道をおしえてやった」

「それで、ぬしさまのこともおしえたの、とっつぁま」

「うむ、この道はどこへ行くのかというから、ぬしさまのところだというと、ぬしさまはだれだときく。ぬしさまは、心も体も大きな方でござる。ぬしさまにうちあければ、どんななやみもかいけつするのだとおしえると、あのもの、よろこんで、おおいそぎでのぼっていきおった」

「それから、この森のやくそくもおしえてやったかい、

とっつぁま」

ウロロがいうと、イノシシははっとして、

「しまった！いいわすれてしまった」

と顔をあげた。

「この森のものならだれでも、ぬしさまのもとでは食いあわぬやくそくをしっている。遠《とお》い昔《むかし》から、みんながそうしてきたことでござる。あのものにおいつかなくては」

イノシシが走りだそうとすると、

「あのネコは、ぬしさまになやみをきいてもらおうというのだよ。そのぬしさまの前で、なやみをうちあけにきた、ほかのものを食っちまうなんてことがあるかね」

イノシシとはちがう声が、イノシシの背中《せなか》の方からきこえてきた。くらがりで気がつかなかったが、よく見ると、イノシシの背中になにか黒いものがのっている。

「あのネコは、人間にかわれていたじぶんが、ほんとうに一人前の山ネコになれるのかと、しきりになやんでいるのさ。まじめなネコだと、あたしゃ思うがね」

　ゆっくりとしたそのしゃべりかたは、どうやらあのカメのようだ。杉《すぎ》の木を背《せ》おってこまっていた、あのカメさ。カメは両《りょう》手《て》両《りょう》足《あし》でしっかりとイノシシの背中につかまっていた。

「カメさん、ぼくですよ」

　わしが、ウロロの頭の上から手をふると、カメは首をゆっくりとのばして、わしたちを見あげた。

「ぼくですよ、カメさん」

　テントも、わしの頭の上にのぼっていった。

「おや、あんたさんたちかい。あたしゃ、気がつかなかったよ」

　カメは首をかたむけて、ゆっくりとまばたきをした。

「せっしゃは背中にカメをのせ、そちは頭にネズミをのせておる。これはみょうな、ぐうぜんじゃ、フオッ」

イノシシがわらうと、

「ふん、どうせー、あたしらのー、ことなんかー、目にはいらないーって、いうんだろおー」

また、どこかできいたことのある声がした。

「おっ、これはすまん。せっしゃがわるかった。せっしゃの背中にカメ、カメの背中にナメクジの親子《おやこ》、であった」

イノシシが首をまげて背中を見あげた。すると、

「ウロロの上にトガリィ、トガリィの上にテント」

頭の上で、テントが口をとがらせた。

「うっ、これまた、すまん。せっしゃ、またまたしくじったでござる」

イノシシは頭をひくくさげて、

「ところでウロロ、頭にトガリィとテントをのせて、きでんも、ぬしさまのところへ行こうというのではあるまいな」

といった。

「ああ、おれたち、これからぬしさまのところへ、行こうと思ってるんだ。とっつぁまたちもか？」

イノシシは、ゆっくりと背中《せなか》のカメとナメクジを見あげて、

「カメどのにも、ナメクジどのにも、ぬしさまにきいてほしいなやみがあるというので、おつれもうすところでござる。それに、このせっしゃとて、なやみがないといえばうそになる。フオッ、フオッ」

とわらって、肩《かた》をすぼめた。

「そうだ、あのネコなるものに、早く森のやくそくをつたえねばならぬ。では、ぬしさまのところで、また会おう」

イノシシは、シッポをぴくんと立てると、おち葉《ば》をふみならして、くらい山道のおくにきえていった。

「おれたちも、行くか、おまえ」

ウロロは、イノシシたちがきえたくらやみを、しばらく見つめていたが、ふと、われにかえったようにいった。

ウロロは、ミズナラの木のみきをかけのぼった。さっき、わしがねむったうろをとおりこして、てっぺん近《ちか》くのえだまでのぼった。わしたちはまた、月の光があふれる明るい夜空の中にでた。

トガリ山が、こんいろの空にとけこみそうになって、黒い森の上にうかんでいた。てっぺんの雲が、にぶい銀《ぎん》いろの光をはなっていた。

「トガリ山のま下の森に、黒い大きなかげが見えるだろ、おまえ」

わしはウロロの頭の上で背《せ》のびをして、トガリ山の森を見つめた。

「あれが、ぬしさまだ」

たしかに、トガリ山を背にしてまわりの木よりひときわ大きい黒いかたまりが、森の上にとびだしていた。

「ぬしさま、あれが?」

テントがわしの頭のてっぺんでいった。

「あれが、ぬしさま?」

わしがウロロの頭のてっぺんでぬしさまを見つめていると、

「じゃ、行くぞ、しっかりつかまれよ、おまえ」

ウロロが身がまえた。わしはいそいで、ウロロの頭のうしろにさがって、毛《け》にしがみついた。

ウロロの毛が風になびいて、銀《ぎん》いろの月の光を、夜空にふりまいた。

5

森のぬしさま

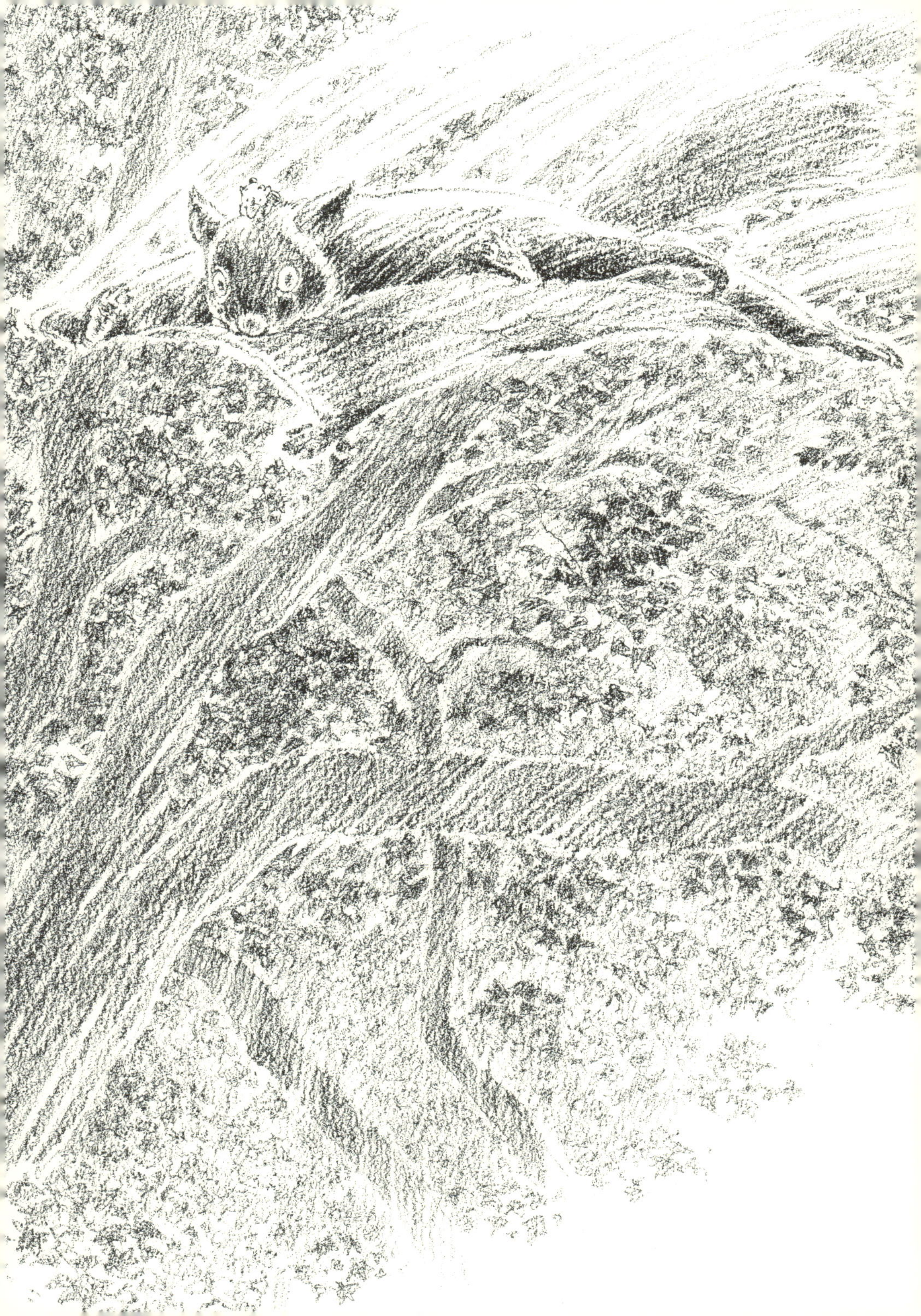

ウロロはカエデのみきにとびつくと、そのまま体を
ねじって、あたりのようすをうかがった。
「そこにおられるのが、ぬしさまだぞ、おまえ」
ウロロが声をひそめていった。ミズナラの木の前に
大きな木が、どっかとこしをおろしていた。

ぬしさまのうしろには、月の光があふれ、ぬしさまのりんかくを、くっきりとうかびあがらせていた。
ゆれる木の葉《は》のあいだから、月の光がこぼれおちると、太《ふと》い根《ね》っこが、ヘビのように体をくねらせた。

「すごい……ぬしさま……」
「ぬしさま……すごい……」
わしとテントがつぶやくと、月の光がまたゆれて、ぬしさまのみきにとびちった。みきのふかいしわと大きなこぶが、やみの中にぼんやりうかんですぐきえた。

「ぬしさまって、大きな木なんだ」

「年寄《としよ》りの木なんだ、ぬしさまって」

わしとテントは、ぬしさまを見つめた。ぬしさまの木は、月明りの中に思いきりえだを広げ、夜の空をひとりじめにして、すわりこんでいた。

「ぬしさまのそばへ行ってみるか、おまえ」

ウロロがカエデのみきをおりようとしたときだ、

ヒョーッ

ぶきみな声が、ぬしさまの木の根《ね》もとのあたりからきこえてきた。声は夜のしめった空気をふるわせて、森のおくにすいこまれていった。

「あれはなに、ぬしさま？」

わしがささやくと、

「なにあれは？」

テントがいった。すると、

「あれはぬしさまの声じゃない。あれは、ヌエだぞ、おまえ」

ウロロが声をひそめていった。

わしはそれまで、夜の森で、ヒョーッというぶきみな声を、何回かきいたことがあったが、その正体を見たことがなかった。

「おれ、かあちゃんにきいたことがある。ヌエは頭はサル、体はタヌキ、足はトラ、シッポはヘビなんだぞ、おまえ」

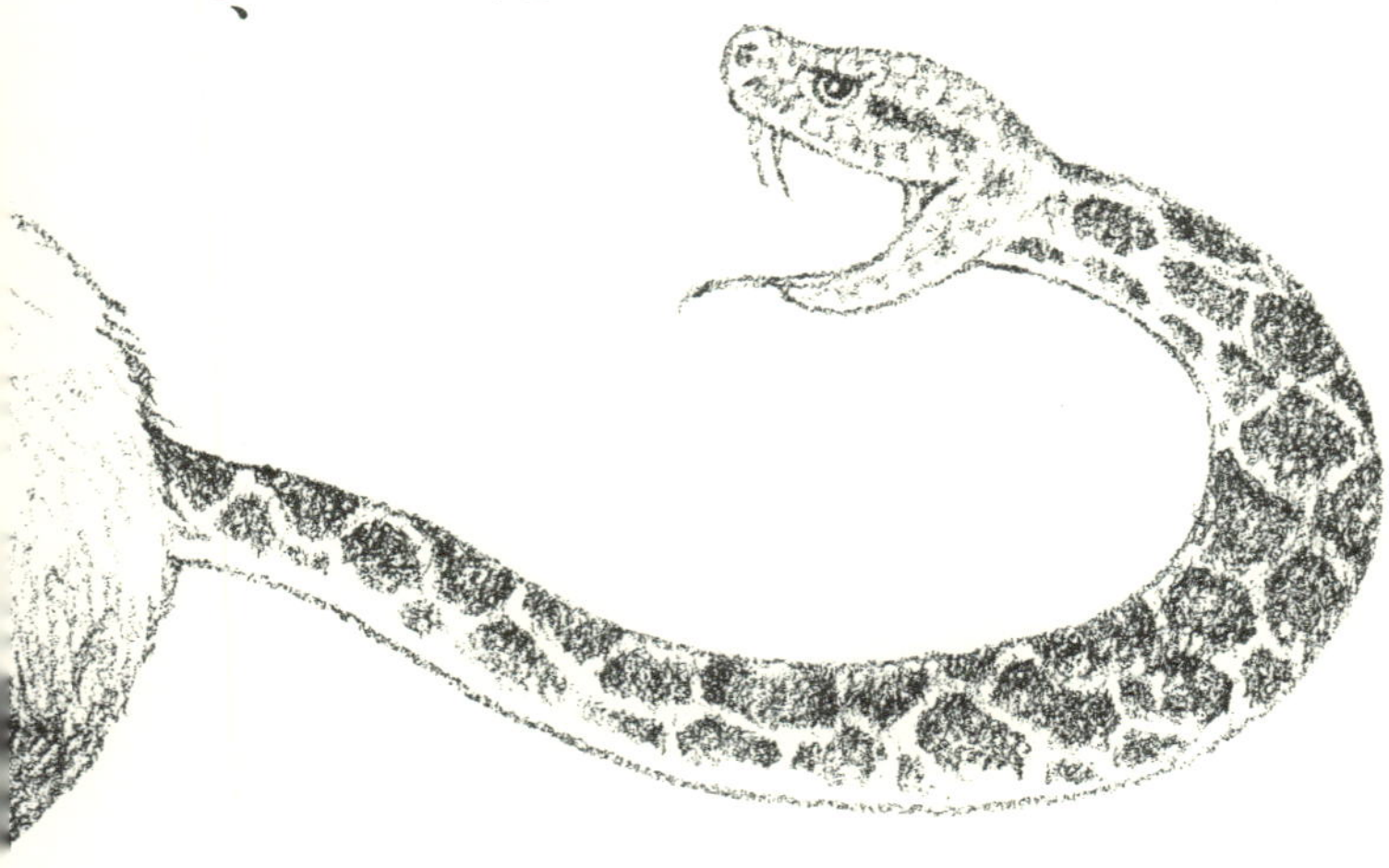

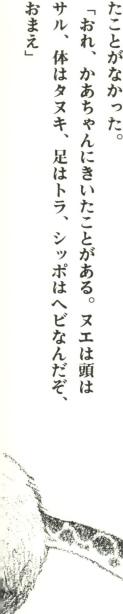

ウロロは、ぬしさまの木の根もとのあたりを、じっと見つめた。サルとタヌキとトラとヘビをあわせたような動物《どうぶつ》。いったいどんなやつなんだ。わしも、くらやみの中に目をこらしながら、ヌエのすがたを思いうかべてみた。だが、頭の中で、サルとタヌキとトラとヘビが、ごちゃごちゃになって、ちっとも一ぴきの動物のすがたにならない。

ヒョーッ

また声がきこえた。

「あの声は、頭のサルが出すの？」

わしがささやくと、

「サルの頭の声？」

テントもささやいた。

「もっと、そばへ行ってみるか」

ウロロはシッポを下にしたまま、ゆっくりとおりていった。ぬしさまの木はもりあがった小山《こやま》の上にどっかとこしをおろしていた。ぬしさまに近《ちか》づいていくと、

ヒョーッ

すぐそばで、またヌエの声がきこえた。

「そこにいる」

ウロロが立ちどまった。見ると、ぬしさまの根《ね》っこの上に、一羽《いちわ》の鳥がとまっていた。風がえだをゆらすと、木の葉《は》がササササと鳴って、鳥の上に月の光をふりまいた。鳥が金いろにかがやいた。

「ぬしさま、ぼくの頭を見てください。これがサルの頭でしょうか」

鳥はぬしさまの方に頭をむけ、ゆっくり動《うご》かして見せた。

「ぼくはただのトラツグミです。ヒョーッ」

とかなしそうに鳴いて、

「ぬしさま、ぼくの足を見てください。これがトラの足でしょうか」

鳥はかた足を前にだして見せた。

「体のもようがトラににているというのなら、そのとおりです。それでぼくたちはトラツグミなのですから。でも足は、どう見ても鳥の足なのです。ほら、シャクトリムシさんも、見てください。ヒョーッ」

トラツグミの足もとに、シャクトリムシが一ぴきいるのが見えた。シャクトリムシは立ちあがり、のばした体をゆっくりふって、トラツグミの足をしらべた。

「どうですシャクトリムシさん、トラの足なんかじゃないのが、よくわかるでしょ。うたがうのなら、長さをはかってみてくれてもいいのですよ、ヒョーッ」

トラツグミはかた足を前にだしたまま、体をブルルとふるわせた。

「長さをはからなくたって、その足は、だれが見ても鳥の足だぜ、おまえ」

ウロロはそういいながら、トラツグミのそばに近《ちか》づいた。

「あっ、ムササビさん」

トラツグミはのばしていた足をひっこめ、わしたち

の方にふりむいた。

「どう見ても、鳥の足に見える」

わしがいうと、

「鳥の足、どう見ても」

テントがいった。

「みなさん、ぼくの体を見てください。これがタヌキの体でしょうか」

トラツグミはすこし羽《はね》を広げ、体をふくらませて見せた。そしてぬしさまの方にむきなおって、

「ぬしさま、ぼくの尾羽《おばね》を見てください。これがヘビのシッポでしょうか」

トラツグミは頭をさげ、尾羽を高くあげて見せた。

「たしかに、タヌキの体じゃないし、ヘビのシッポでもない、しんぱいするな、おまえ」

ウロロが根《ね》っこの上にこしをおろして、トラツグミの顔をのぞきこんだ。

「しんぱいするな、ヘビのシッポでもない」

テントも、わしの頭の上でいった。

「ずっとずっと昔《むかし》のこととはいえ、どうしてこんなことになったのでしょう。ほんとうのことを見もしない、しろうともしないで、何百年も、みんなでつくりごとをいいふらしてきた」

トラツグミは小さな声でヒョーッと鳴いて、わしたちの顔をのぞきこんだ。

「ぬしさま、そしてみなさん、きいてください。それはつい、きのうのことです。カケスがアカゲラに話しているのをきいたんです。夜のあいだに、だいじなたまごをぬすまれたの。あれはヌエのしわざにちがいない。ねむっているとき、近《ちか》くでヌエが鳴いているのをきいたわ、というのです。それからカケスは、なにもしらないアカゲラにこういいました。ヌエはサルのようにわるぢえがはたらき、タヌキのようにはらぐろく、トラのようにらんぼうで、ヘビのように鳥のたまごをぬすんで歩く」

トラッグミは、ブルルと体をふるわせ、

「ぬしさま、おねがいです。これはぼくたちには身《み》におぼえのないことです。ただのつくりごと、ぬれぎぬです。トラッグミがヌエではないことをわかってください。トラッグミの長いあいだのかなしみをとりのぞいてください」

と、根《ね》っこの上にうずくまった。

「たしかに、ヌエぎぬだぞ、おまえ。トラッグミは、サルにも、タヌキにも、トラにも、ヘビにもにていない。おれたち、ちゃんとわかっているから、しんぱいするな、な、おまえ」

ウロロが、またトラッグ

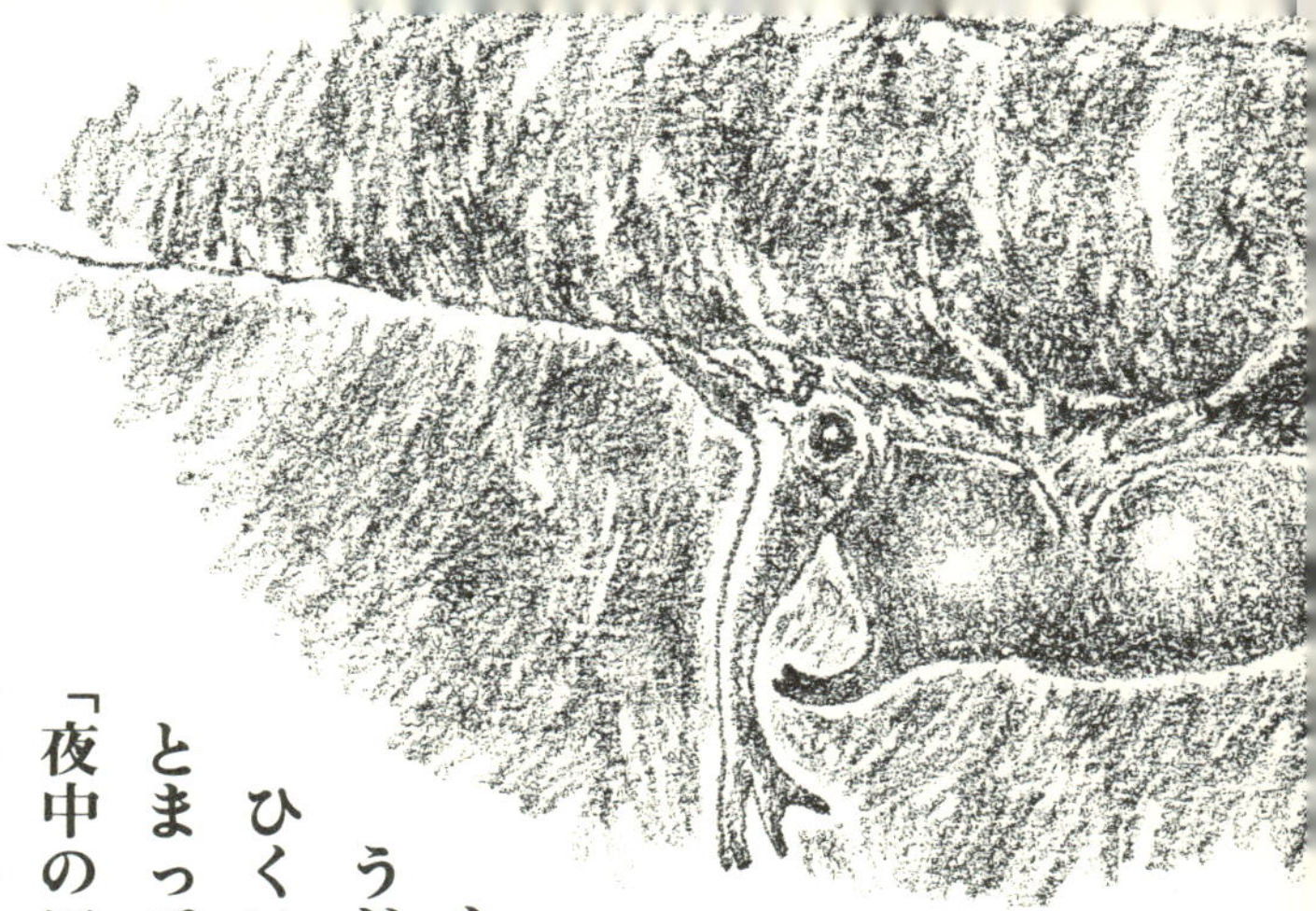

ミの顔をのぞきこんでいった。

「だけどあんたたち、どうして夜中に、あんなぶきみな口ぶえを吹《ふ》くんだい」

　ふいに頭の上で声がした。

トラツグミもシャクトリムシもウロロもテントもわしも、どうじに上を見た。ぬしさまの木のひくいえだに、カブトムシが一ぴきとまって、わしたちを見おろしていた。

「夜中の口ぶえは、だれがきいても気もちのいいものじゃない。あんたたちがヌエといわれるようになったのは、あのぶきみな夜中の口ぶえのせいだと思うよ」

　ときどき、ほんのすこしだけ月の光がさしこんで、カブトムシのツノがキラッと光った。

「だけどぼくは、夜の口ぶえをやめろという気はないよ。夜は音の世界《せかい》、ふしぎの世界。きみたちの口ぶえやぼくたちの羽音《はおと》が、ふかい夜の世界をつくりだしているのだからね。ぼくは夜がすきだ。夜の世界のふかさにくらべれば、ひるの世界なんて、うすっぺらなものさ」

カブトムシは、その黒い目で、ゆっくりと夜空を見あげた。

「せっしゃも、カブトムシのいけんにさんせいでござる」

とつぜん、うしろで声がしたので、ウロロといっしょにふりむくと、いつのまにか、イノシシが来ていた。

「夜はいいものでござる。夜のヤミのふしぎさが、物語をうむのじゃ。物語、それはお話、つくりごとの世界じゃ。トラツグミよ、きでんはなにもなやむことはないではないか。フオッ、フオッ」

イノシシはほそい目でしずかにわらって、ぬしさま

の根《ね》もとにこしをおろした。

「あたしもそう思うね。カブトムシもイノシシも、いいことをいうじゃないか」

トラツグミのいるとなりの根っこからニューと首をのばしたのは、カメだ。

「ヌエはお話の主人公《しゅじんこう》なのさ。トラツグミはそのモデル。あたしもなにか、お話の中でかつやくしてみたい、そんなことを思ったときもあるよ。カメラとかなんとかいう名でさ。体はクマで頭はツル、手足はシカでシッポはキツネ、ムササビみたいに、夜の空を飛《と》んでみたいじゃないか」

カメは両手《りょうて》を広げ、空を飛ぶまねをしてみせた。

「わかった。トラツグミは、サルのようにかしこくて、タヌキのようにやさしく

て、トラのように強く、ヘビのようにすばしっこいということだ」

　わしは大きな声でいった。カメの話をきいていたら、きゅうにそう思ったのだ。

「トガリネズミはー、いいことをー、いうよー。サルやー、タヌキやー、トラやー、ヘビをー、わるくいうのはー、へんだよー」

　大きなナメクジが、しょっかくを動《うご》かしながら、ゆっくりといった。

「サルやタヌキをわるくいうなんて、ぼくは、そんなつもりはありません。そういったのはカケスです」

　トラツグミは、また体をブルブルとふるわせた。

「それならきでんも、トガリネズミのいうように、考えてみたらよいではないか」

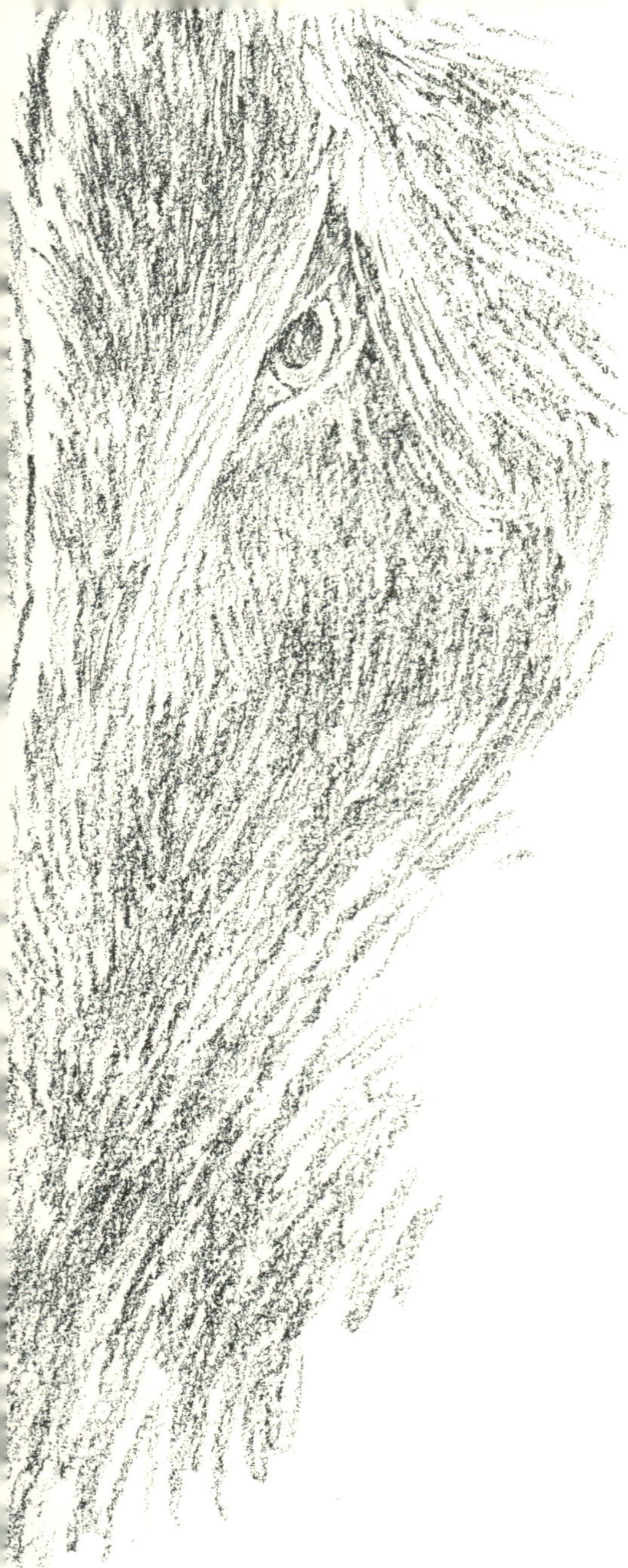

イノシシがいうと、
「よいではないか、考えてみたら」
頭の上でテントがいった。
トラツグミはこっくりとうなずいて、ぬしさまを見あげた。ぬしさまは、どっかとこしをおろしたまま、だまって月の光をあびていた。

「ぬしさまって、そんなに大きいの？」

クックがいうと、

「ああ、まるで、一つの森みたいに見えたよ。たくさんの生きものたちを、ゆったりとつつみこんでな」

トガリィじいさんが、両手《りょうて》をいっぱいに広げてほほえんだ。

「ぬしさまって、いくつぐらい？」

キッキがきくと、

「うーむ、三百さいか四百さいか、もしかすると五百さいか、だれにもはっきりとはわからないそうだよ」

トガリィじいさんがうでぐみをした。

「五百さいか、すげえ！」

セッセが目をまるくした。

「ぬしさまって、すごーい年寄《としよ》りなんだ」

クックも目をまるくした。

「きっと、あのみきの、ふかいしわのおくには、遠《とお》い昔《むかし》の森の物語《ものがたり》が、たくさんしまいこまれているんだろうよ。耳をつけると、昔の森を吹《ふ》きぬけた風の音が、遠くの方からきこえてくるのさ」

トガリィじいさんが耳に手をやって遠くを見つめた。

「ぬしさまって、森のカミさまなんでしょ」

キッキがトガリィじいさんの顔をのぞきこんだ。

6 シャクトリムシのなやみ

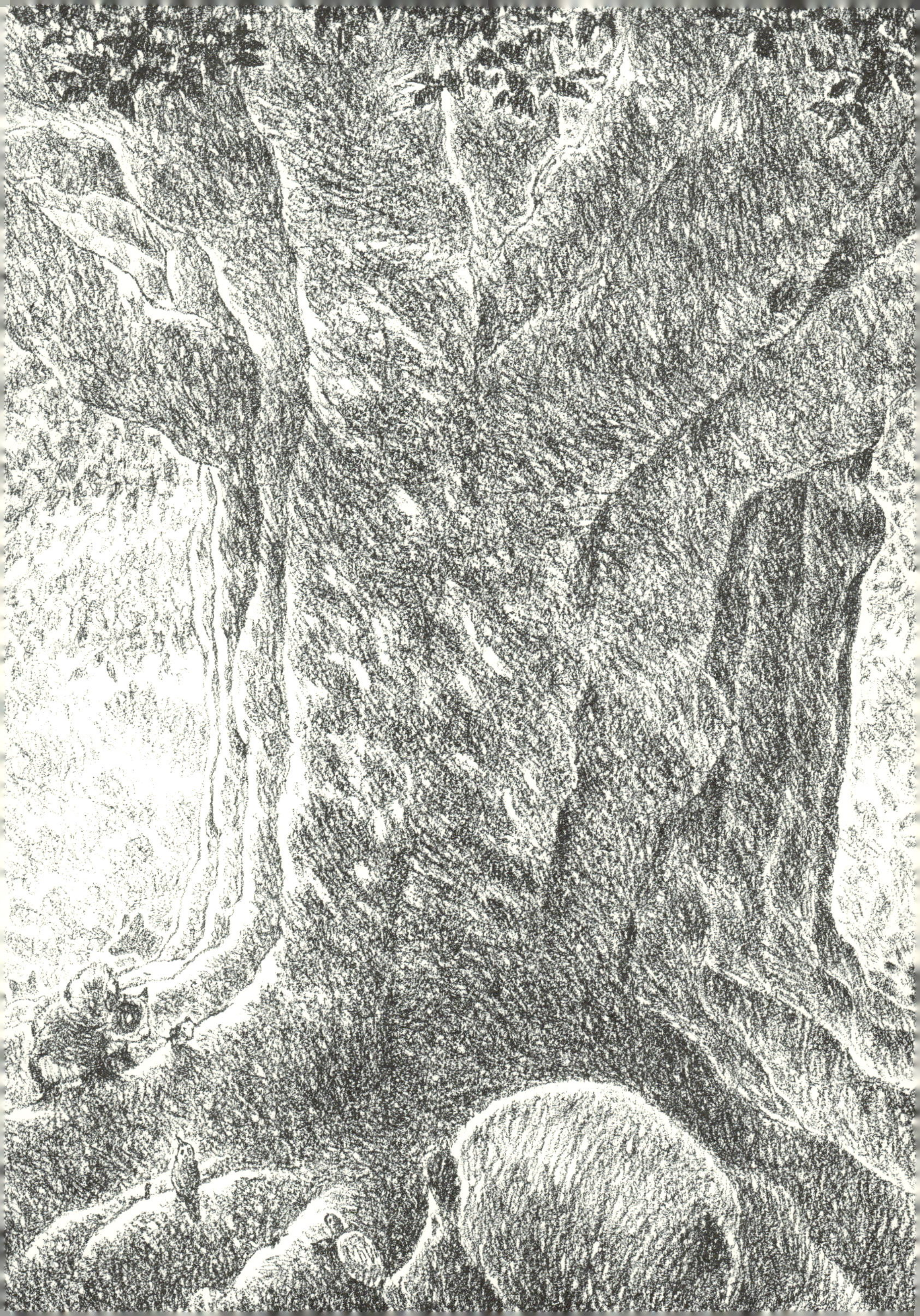

トガリ山のてっぺんへの道をたしかめて、そろそろ出発しなくてはと思った。わしがテントを頭にのせたまま、ウロロの背中《せなか》からぬしさまの根《ね》っこにおりたときだ。

「ぬしさま、あたしのなやみも、きいて」

それまで、トラツグミの足もとで、だまって話をきいていたシャクトリムシが、小さな声でいった。みんなが、シャクトリムシの顔をのぞきこんだ。シャクトリムシは立ちあがって、ぬしさまの方をむいた。

「ぬしさま、あたしのなやみって、はずかしいけど、すぐわすれてしまうことなの」

シャクトリムシは、ほんとうにはずかしそうに体をゆすって、顔を赤らめた。

「すぐわすれてしまうとは、どういうことでござるか」

イノシシが顔をシャクトリムシに近《ちか》づけて、よこ目で見つめた。

「あたしって、すぐにわすれてしまうから、わすれな

いように、一シャク、一シャクと、かぞえながら行くの。でも、一シャク行かないうちにわすれてしまうわ。あたし小さいでしょ、二十回はかぞえないと、一シャクにならないの。いつも、たいてい六回ぐらいまではおぼえているけど、八回ごろからじしんがなくなってくるわ。八回だったかしら九回だったかしら、と思いはじめると、まだ七回だったような気もするのよ。そうよ、六回目ぐらいから、何かほかのことを考えていたんだわ、きっとそうよ、と気がつくの。七回目をとばしてしまった、ちがうわ、八回目を二度《にど》かぞえてしまったのよ、と考えだしたら、もう、はじめからやりなおすしかないの。でも、おなじよ。やっぱり、八回目ぐらいから、じしんがなくなってくるの。やっかいだわ。ぬしさま、あたし、せめて一シャク、きちんとはかれる、一人前のシャクトリムシになりたいの」

　シャクトリムシは、ぬしさまにあまえるように、また体をゆすった。

＊一シャクは、やく三十センチメートル

「ところで、あんたさん、いつからものをはかるようになったんだね」

カメがゆっくりとまばたきをしながらいった。

「それは……。それは、シャクトリムシになったときからよ、その前は、たまごだったの」

シャクトリムシはのばしていた体をまるめてカメを見た。

「おや、よくおぼえているじゃないか、たまごだったことなんか」

カメが半分まぶたをとじたままシャクトリムシを見た。

「おぼえているわけじゃないの。シャクトリムシはみんな、たまごでうまれるってことを、しっているだけ」

シャクトリムシが小さな声でいった。

「そうかい、あたしゃ、あんたさんは、じぶんがたまごだったときのことをおぼえているのかと思ったよ」

カメが声をたてずにわらった。

「そういうカメどのは、たまごだったときのことを、おぼえておるのか」

「もうすっかりわすれてしまったよ。もう六十年も前のことだからねえ。とっつぁまはどうなんだい」

といって、うわ目づかいにイノシシを見た。

「なに、せっしゃ？せっしゃは、たまごでうまれたことはござらんので、さっぱりわからん。ほかに、たまごでうまれたものはおるか」

イノシシはみんなの顔を見まわした。

「おれ、たまごでうまれなかったぜ、なぁ、おまえ」

ウロロがわしを見た。

「うん、ぼくも」

わしがいうと、

「おぼえてない、ぼく、たまごでうまれたけど」

テントがわしの頭の上でいった。

「あたしらー、たまごでうまれるよー。でもー、たま

ごだったときのことなんかー、もうー、とっくにわすれてしまったよー。そんなことー、おぼえていてー、なんになるっていうんだいー」

大きなナメクジが、あいかわらず、すねたようにいうと、

「いま思ったんですが、やっぱりへんですよね。ぼくたちトラツグミはたまごでうまれるけれど、サルもタヌキもトラも、ヘビいがいは、たまごでうまれるわけじゃありません。ぼくたちがヌエなんかじゃないことは、これでもはっきりします」

トラツグミがすっかり元気な声になっていった。

「それで、そちは、じぶんがたまごだったときのことをおぼえているのかね」

イノシシにいわれてトラツグミは、思いだしたように体をふるわせて、

「そうそう、ぼく、たまごのからをやぶって、そとにでたときのこと、ぼんやりとおぼえているような気が

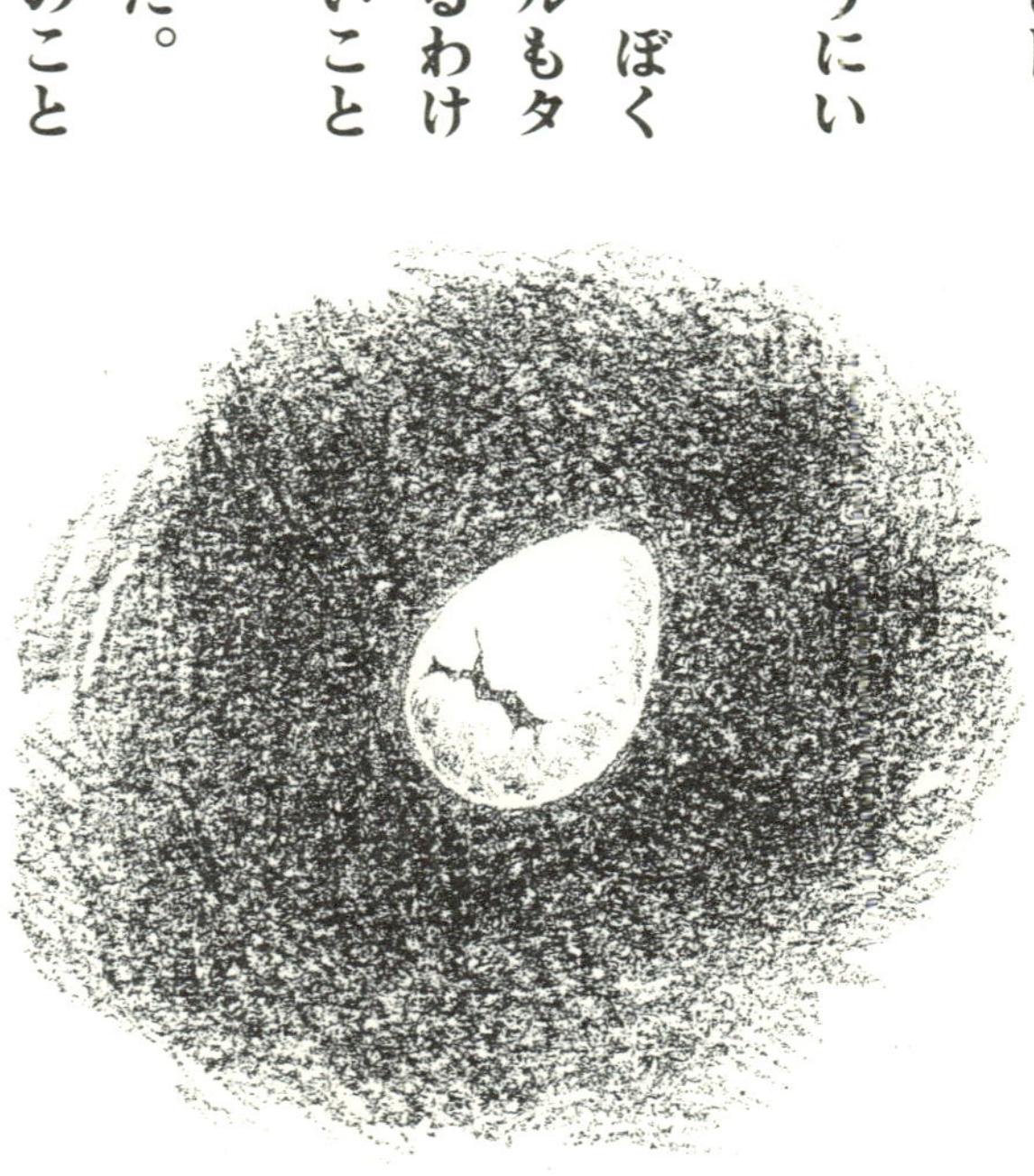

するんです。それまで、霧《きり》がかかったように、何も見えなかったのに、目の前にあながあき、とっても明るいところにでたんです。そこにおかあさんがいた。おかあさんは、ぽかぽかあたたかかった」

「かあさんか、せっしゃもかあさんのことはおぼえている。たしかに、かあさんはあたたかであった……」

イノシシがなつかしそうにいって目をつむると、カメが、ニューッと首をのばして、

「あんたさんたちはたいしたもんだ。あたしゃ、たまごだったときのこともかあさんのことも、もうすっかりわすれてしまったよ」

と目をしばたいた。

「いやいや、そんな気がするだけですよ。ゆめで見ただけかもしれない」

トラツグミがてれくさそうにいうと、頭の上でカブトムシの声がした。

「だれだって、たまごだったときのことは、はっきり

とはおぼえていないだろうね。でも、体のどこかに、じぶんが昔《むかし》たまごだったきおくが、のこっているような気がするんだ。なんとなくだけどね」

カブトムシは黒い目で、じっと遠《とお》くを見つめた。

「なるほど、そんなふうに考えれば、あたしもそんな気がしてきたよ。そうだね、こうらのまん中あたりに、そんなかんかくが、のこっているような気もするよ」

カメもじっと目をつむった。すると、カメのこうらのまん中にいた大きなナメクジがあわてて、

「よしておくれよー。どのあたりなんだいー」

といって、体をくねらせた。カメはまたゆっくりと目をあけて、

「それで、あんたさんが、はかっているうちに七回目か八回目か、わすれてしまうようになったのは、シャクトリムシになったさいしょからかね」

シャクトリムシを見つめた。

「わたし、それもわすれたわ。でも、きっと、はじめ

からそうなのよ。一度《いちど》も、一シャクをちゃんとはかりおえたことがないの」

シャクトリムシがかなしそうにいうと、

「ところで、そちたちは、いったい何のために、ものをはかるのであろうか」

イノシシがすこし体をおこしてシャクトリムシを見た。

「何のため?さあ……何のためなの?」

シャクトリムシはこまった顔をして、体半分まるめたまま立ちあがった。

「何のため……。考えたことがなかったわ。シャクトリムシはシャクをとるのがしごとよ。シャクトリムシはみんなそうしているし、そういわれているわ」

シャクトリムシは、ちょっと考えて、わかったというふうに体をのばすと、

「こっちのえだとあっちのえだをはかったら、こっちのえだが一シャクで、あっちのえだが二シャクってこ

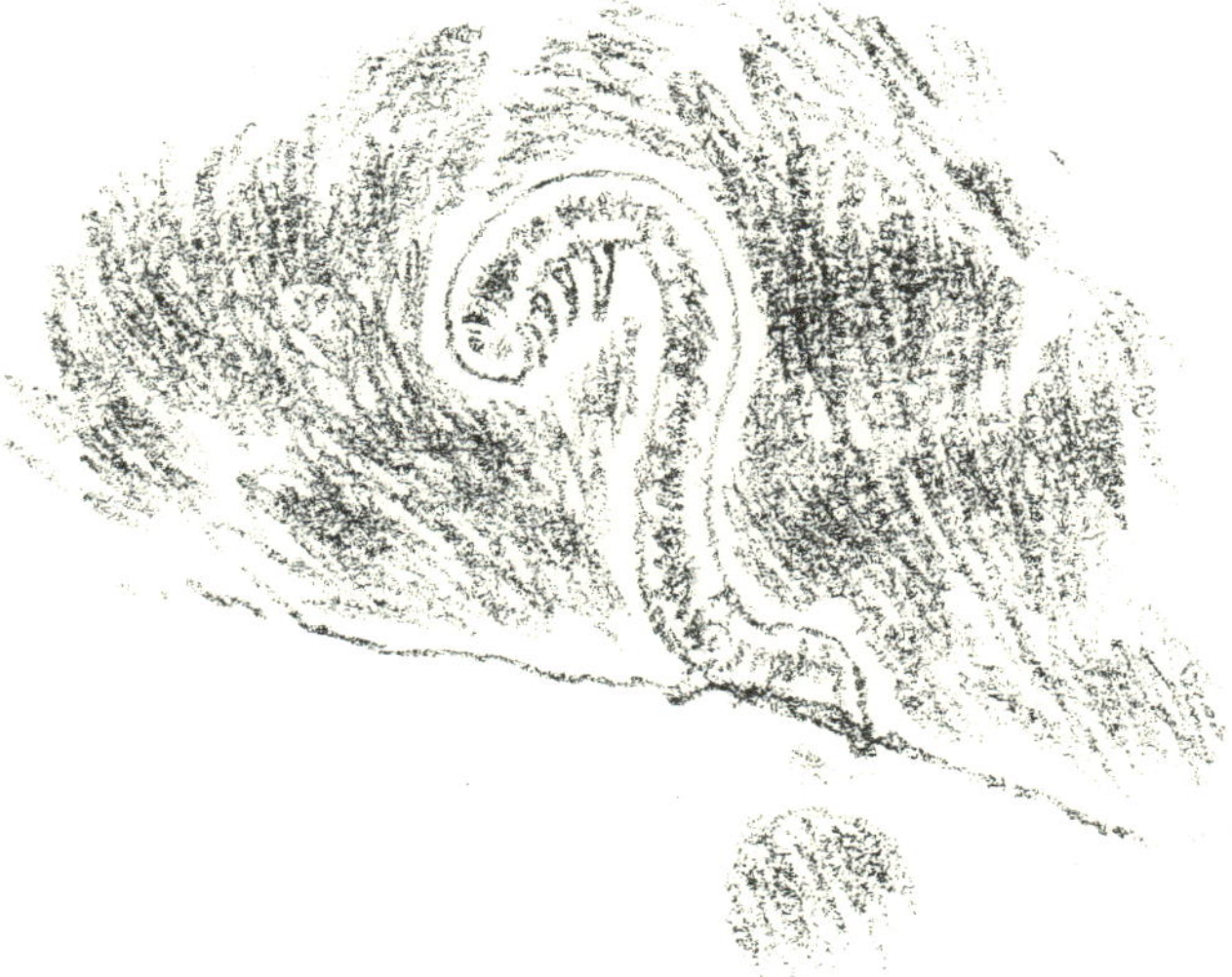

とがわかるわ。すると、あっちのえだのほうが、こっちのえだより一シャク長いってこともわかるわ」

といった。イノシシはほそい目で二度《にど》ほどまばたきをして「ふむ」とうなずいた。

「そうか。こっちのえだより、あっちのえだのほうが、どのくらい長いかってことを、しりたいんだな、おまえ」

ウロロもうなずいた。

「それに、長さがしりたいってわけじゃなくても、どこかへ行こうと思うと、そのとちゅうの道の長さや、えだの長さや、葉《は》っぱの長さなんか、ついはかってしまうってこともあるの」

シャクトリムシは、二回だけ、はかるまねをしてみせた。

「はかってどうするってことより、ただ、長さをはかってみたいんだろ、おまえ」

ウロロがシャクトリムシの顔をのぞきこむと、

「はかってみたいんだ、長さを」

テントがわしの鼻《はな》の先にきていった。

「はかってどうするってわけじゃなく、ただはかってみたい。そういうのって、ぼくはすきだ」

頭の上でカブトムシがいった。

「それなら、はかるそばからわすれてしまったって、どうということはないじゃないか。もっと気らくに考えたらどうなのかね」

カメがゆっくり首をかたむけて、シャクトリムシを見つめた。すると、トラツグミが、すっと首をのばして、

「でも、はかってしまって、あのえだは一シャク、このえだは二シャク、とわかってからわすれるのならいいと思います。はかっているとちゅうでわからなくな

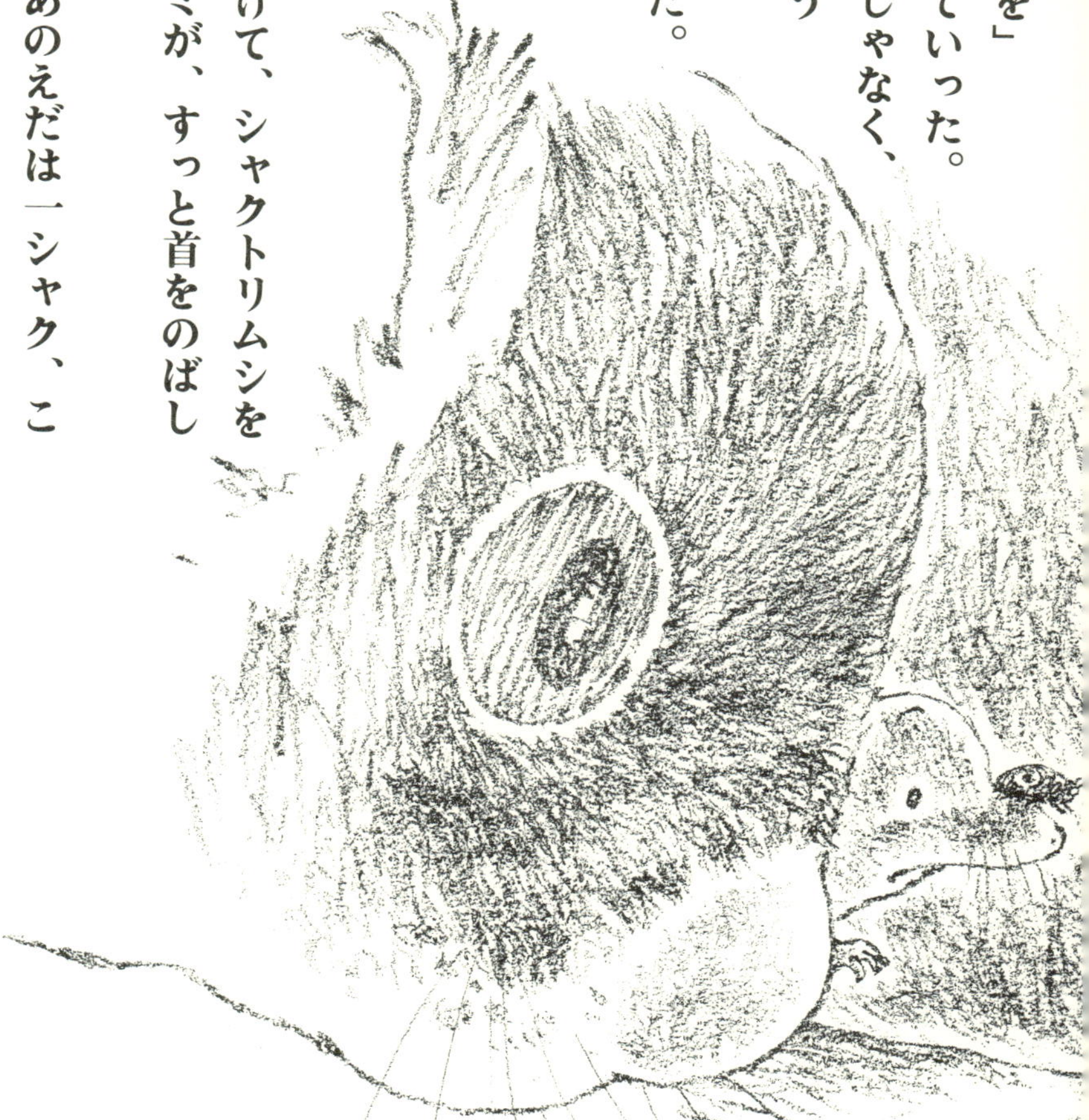

るのは、気分がわるいことです」

といった。わしは、そのとき、シャクトリムシにとっていい考えがうかんだ。つまりこうだ。

「シャクトリムシ、きみは、六回か七回まではちゃんとおぼえていられるんだろ。きみがはかるものは、六回まではかれるぐらいの長さのものにすればいいんだ。どうしても、もっと長いものをはかりたいときは、六回までかぞえて、また一回目へもどる。それをくりかえすのさ」

「なるほど、それは一つの方法《ほうほう》だ。ちえしゃであるのお」

イノシシがほそい目をうんとほそめて、ほほえんだ。

「つまり、このシャクトリムシは、みじかいものさしってわけだ、な、おまえ」

ウロロが両手《りょうて》ではかるまねをした。

「あたしゃ、ものごとには、いろいろな考えがあっていいと思うよ。ぬしさまだって、きっと、そうおっし

やる。わすれるってことはだいじなことだ。考えてごらん、あんたさん。まい日まい日、一シャク二シャクといろんなものをはかって、それをいちいち、ぜんぶおぼえていたら、頭の中はシャクシャクシャクでいっぱい、クシャクシャになっちまうよ」

　カメがいうとテントが、

「シャクシャクシャク、クシャクシャクシャクシャ」

といいながらわしの鼻《はな》の上を行ったりきたりした。鼻がむずむずしてきて、わしは思わずクシャ！とクシャミをしてしまった。テントはびっくりして飛《と》びあがり、わしの頭にしがみついた。

「カメのいうとおりだ。わすれることで、たいていのなやみは、きえていくものである。ぬしさま、いかがでございましょう」

　イノシシがぬしさまにむかって大きな頭をさげた。ぬしさまは、どっかとこしをおろしたまま、だまって月の光をあびていた。

7

ナメクジとカメのなやみ

ウロロは、さっきから、しきりにぬしさまの木のえだを見あげては、なにかをさがしているようすだ。

「ウロロ、だれかいるの？」

わしがそっときくと、

「えっ、べつに、おれ、なんでもないぜ」

と体をまるめた。すると、

「とうちゃーん、はやくー、かあちゃんのとこにーいこうよー」

「かあちゃーん、はやくー、とうちゃんのとこにーいこうよー」

二ひきの小さなナメクジが、どうじにいった。

「かあちゃん？とうちゃん？そちがこの子たちのかあちゃんではないのか」

イノシシがいうと、ウロロもトラツグミもシャクトリムシも、けげんな顔でナメクジを見つめた。カメは首をまげ、大きく目をあけて、背中《せなか》のナメクジの親子《おやこ》を見た。

「あたしはー、こっちの子のかあちゃんだけどー、この子にとってはー、とうちゃんだよー」

「かあちゃんだけどとうちゃんなのか、おまえ」

ウロロが目をまるくすると、

「あのひとはー、あたしのことをー、ちっとはすきだったんだろうねー。あたしたちはむすばれー、この子たちがうまれたー。この子はあたしがうんだ子でー、こっちの子はあのひとがうんだ子さー」

ナメクジは、両目《りょうめ》をゆっくりと動《うご》かして、かわるがわる、両がわの小さなナメクジを見た。

「ふむ、そちたちは、せっしゃなどとはちがって、一つの体の中に、オスとメスの両方《りょうほう》のはたらきをもっている、ということなのじゃな」

イノシシが鼻《はな》の上のシワをふかくして、ナメクジの

顔をのぞきこんだ。すると、頭の上でブルンと羽《はね》の音がした。カブトムシだ。

「ぼくは、そこのところが、生きもののおもしろいところだと思うね。一つの体の中に、オスとメスの両方《りょうほう》のはたらきをもっていても、けっきょく、ふたりがすきあってむすばれ、子どもがうまれてくる。愛《あい》があっていのちがうまれる」

　カブトムシは、羽を小さくだしてブルンと鳴らすと、すぐしまいこんだ。ナメクジは両目《りょうめ》をのばしてゆっくりとカブトムシを見あげ、

「愛だかなんだかはしらないよー。あたしはもうー、あのひとのことなんか、どうでもいいんだがー、この子たちが、どうしてもあのひとに会いたいっていうからー、ぬしさまにそうだんにきたってわけさー」ナメクジ
カメが、半分とじていた目をすこしあけてナメクジを見た。

「それが親子ってものじゃないのかね。ふうふだってそうだ。一度《いちど》すきあったものどうしが、そうかんたんにわすれちまうなんてことが、あるものかねえ。あたしゃ、血《ち》のつながりもなにもない、杉《すぎ》の子のことがわすれられないで、なやんでいるくらいだよ」

「なに?血のつながりのない、杉の子とな?」

イノシシがほそい目をせいいっぱいひらいて、カメを見た。

「そうだよ、杉の子さ。あたしの背中《せなか》で芽《め》をだして、すくすくのびはじめた杉の子がいたのさ。このままほっておいたら、あたしゃ、この子といっしょに、一生

動《うご》けなくなっちまうと、ここにいるトガリネズミとテントウムシにてつだってもらって、ぬきとったというわけだよ」

「それでー、あたしらがのっているー、背中《せなか》のコケがー、やぶれているんだねー」

三びきのナメクジがカメの背中を見まわした。

「杉《すぎ》の子は、そのあとしっかりとうえなおしてやったから、元気にしているのだが、このあたしがどうもねぇ」

カメが首をうなだれて、うわ目づかいにイノシシの顔を見あげた。

「なに?そちがどうしたというのじゃ?」

イノシシが首をかしげると、カメはゆっくりとぬしさまの方に首をのばして、

「ぬしさま、年がいもなくはずかしいことだが、あたしゃ、なんだかさびしくてねえ。杉の子をぬいてしまってからというもの、スースーするのは、背中のこう

らだけじゃない。こうら、どういうわけだろうねえ。心の中までぽっかりあながあいてしまって、むなしい風がとおりぬけていくしまつ」

と目をうるませた。

「ほんの半年背中にしょって、ともにくらしただけなのに、すっかり情《じょう》がうつっちまって。ぬしさま、あたしゃ、どうしたらいいのでございましょう」

カメはまた首をうなだれた。

「そちのなやみも、ナメクジのなやみも、いってみればみな、ひと恋《こい》しいということなのであろう。なやむのはつらいことだが、それもまた、生きておらばこそでござる。こうもうすせっしゃも、そうしたなやみの一つや二つ、いつも背中にしょって、森の中を行ったりきたりのまい日でござる」

イノシシがほそい目をもっとほそめて、カメの顔をのぞきこんだ。

「お、おれも、なやみをひとつ、背中にしょって、も、

森の中を行ったりきたりだぞ、おまえ」

ウロロがかた手で頭をかきながら、カメの顔を見た。

「なに、そちもおなじなやみをしょっておるともうすのか。して、そのなやみとは、どんなことでござるか、ぬしさまにもうしあげてみるがいい」

イノシシが顔をあげてウロロを見ると、

「い、いいんだ、いいんだ。と、とっつぁまからさきにいってくれ、とっつぁま」

ウロロはあわててうしろにさがった。

「なに、せっしゃのことなどあとでよい。それよりトガリネズミは、どんななやみがあるのか」

イノシシがわしを見つめた。

「なやみってわけじゃないけど、ぼくたち、道にまよってしまった。ぼくとテントは、これからトガリ山のてっぺんにのぼるところなんだ」

「ほお。トガリ山のてっぺんともうすか。それは大ぼうけんでござる。だが、そちたちがこの先、森の中で

まようことはあるまい。ぬしさまのところをすぎれば、もう森はおわり、目の前にトガリ山がそそりたっている」

イノシシは、ゆっくりとぬしさまを見あげた。

「てっぺんを見ながら、のぼっていけばいいんだ」

わしは立ちあがり、ぬしさまの木のむこうに見えるはずの、トガリ山のすがたをさがした。

「トガリ山のてっぺんにのぼるともうしたが、あの雲の上には、どんな世界《せかい》があるのであろうか」

イノシシがいうと、

「トガリ山のてっぺんか。あの杉《すぎ》の子も、てっぺんにつれていってくれといっていたっけ」

カメが、ぬしさまのえだのあいだから、トガリ山を見ようと首をのばした。

「カミナリさまがすんでいるのでしょ。きのうのゆうだちはすごかったですね」

トラツグミが羽《はね》をすこし広げてふるわせた。

「ヒョウをつれてやってきた」

テントが、おそろしそうにいった。

「カミナリゴロスケが、キノコといっしょに、天《てん》へかえっていくのを見た」

わしがいうと、

「ほお、そうか。せっしゃもキノコが天へかえっていくのを見たことがある。まるで、たくさんの流《なが》れ星《ぼし》が、トガリ山のてっぺんへのぼっていくように見えた」

イノシシが空を見あげた。すると、

「ぼくが見たのは、ほんとうの流れ星です。天《あま》の川《がわ》から、トガリ山のてっぺんへむかって、いくつもの流れ星がおちていくのを見たんです。まるで天の川の水があふれたみたいに」

頭の上でカブトムシがいった。

「天の川の水！」

わしは思わず声をあげた。そんな光景《こうけい》を、わしも一《いち》度《ど》見てみたいと思った。

わしは、ぬしさまの木の葉《は》と葉のあいだで、ゆれながらかがやいている天の川を見あげた。
「そうだ、早く出発しなくては」
わしがテントにいったときだ。
カロン
すぐ近《ちか》くのくらがりの中で、かすかに、すずの音がきこえた。
「あいつ？」
わしがウロロロの顔を見ると、
カロン　カロリン　カロン　カロン
カロン　カロリン　カロン　カロン
すずの音がはげしく鳴った。
イノシシがブオッと鼻《はな》を鳴らして体をおこした。
トラツグミが、さっとぬしさまのえだにまいあがった。
カメは首をナメクジは目玉をあわてててひっこめた。
シャクトリムシは体をピンとのばして、根《ね》っこから小えだがはえたという顔をした。ウロロロは頭をひくくさ

げて身《み》がまえ、テントはわしの頭に、わしはウロロの頭によじのぼった。

みんな、しばらくそのままじっとしていると、くらやみからだれかがとびだしてきた。

「たまげた、たまげた、てんててん」

目をまるくして、ぬしさまの根《ね》もとにかけあがってきたのは、テンだ。

「おっ、そちは、テンのチムチムではないか」

イノシシがいった。テンのチムチムは、イノシシを見ると、ほっとしたように立ちどまった。

「そのようにあわてて、いかがいたした」

イノシシが、半分うかしていたこしをおろしながらいうと、

「ああ、たまげた、たまげた、てんててん。いまそこに、へんなやつがいて、いきなりおれにとびかかってきた。あいつの首のまるいものが、カロンと鳴らなか

ったら、このチムチム、やられるところだった、てんててん」

テンのチムチムは両手《りょうて》を広げて、さもおそろしそうに目を見ひらいた。

イノシシが耳をひくひくと動《うご》かした。ウロロが、くらがりの中をゆっくりと見まわした。

「そうであったか、それはせっしゃの手ぬかりであった」

イノシシが前足で地面《じめん》をこすった。

「おや、またどうして、とっつぁまの手ぬかりなんだい？」

テンのチムチムがけげんな顔で見あげると、

「あのものにぬしさまのことをおしえたのは、このせっしゃ。だが、ぬしさまのもとでは、たがいに食いあわぬという、この森のやくそくごとを、つたえわすれてしまったのじゃ」

イノシシは体をおこして、森のくらやみをのぞきこんだ。

「あのネコは、あたしがさいしょにあったとき、これから山ネコになろうというのに、ノネズミどころか、バッタ一ぴきつかまえることができないとなげいていた。それがテンのチムチムをおそうとは、わずかなあいだに、ずいぶんたくましくなったものだよ」

カメも首をのばして、くらやみを見つめた。

「あのものを見つけて、せっしゃがよく話してきかせるとしよう。いくらはらがへっていようと、よもやせっしゃをおそうことはあるまい。あのものも、なやみをしょって、ぬしさまのところへやってきた、なかまといえばなかまなのでござる」

イノシシは、ぬしさまの方にむきなおると、

「ぬしさま、あのネコなるものを、ここへつれてまいります。どうぞ、よろしくおみちびきくださいますように」

と頭をひくくさげて、ネコをさがしにでかけていっ

た。
　ぬしさまは、どっかとこしをおろしたまま、だまって月の光をあびていた。

8　ヒックとウロロのなやみ

ふいに、だれかが空からまいおりてきた。みんながはっとしていっせいに上を見た。テンのチムチムが、ぴょんとよこにとびはねて、

「やあ、ヒック」

と、ほっとしたようにいった。ぬしさまの根《ね》っこにおりてきたのは、ムササビのヒックだった。

「やあ」

ヒックはみんなの顔を見まわした。シャクトリムシがあわてて、「一シャク、一シャク」とはかりながら、根っこのうらがわにむかってにげだした。ウロロはまた、だれかをさがすように、ぬしさまの木を見あげた。

「ところで、シャックリはとまったかい、ヒック」

テンのチムチムが、にげていくシャクトリムシをよこ目で見て、ニヤニヤしながらいった。

「それが、ぴたりととまったんだ」

ヒックがいうと、

「それはよかった、てんててん。やっぱり、シャクト

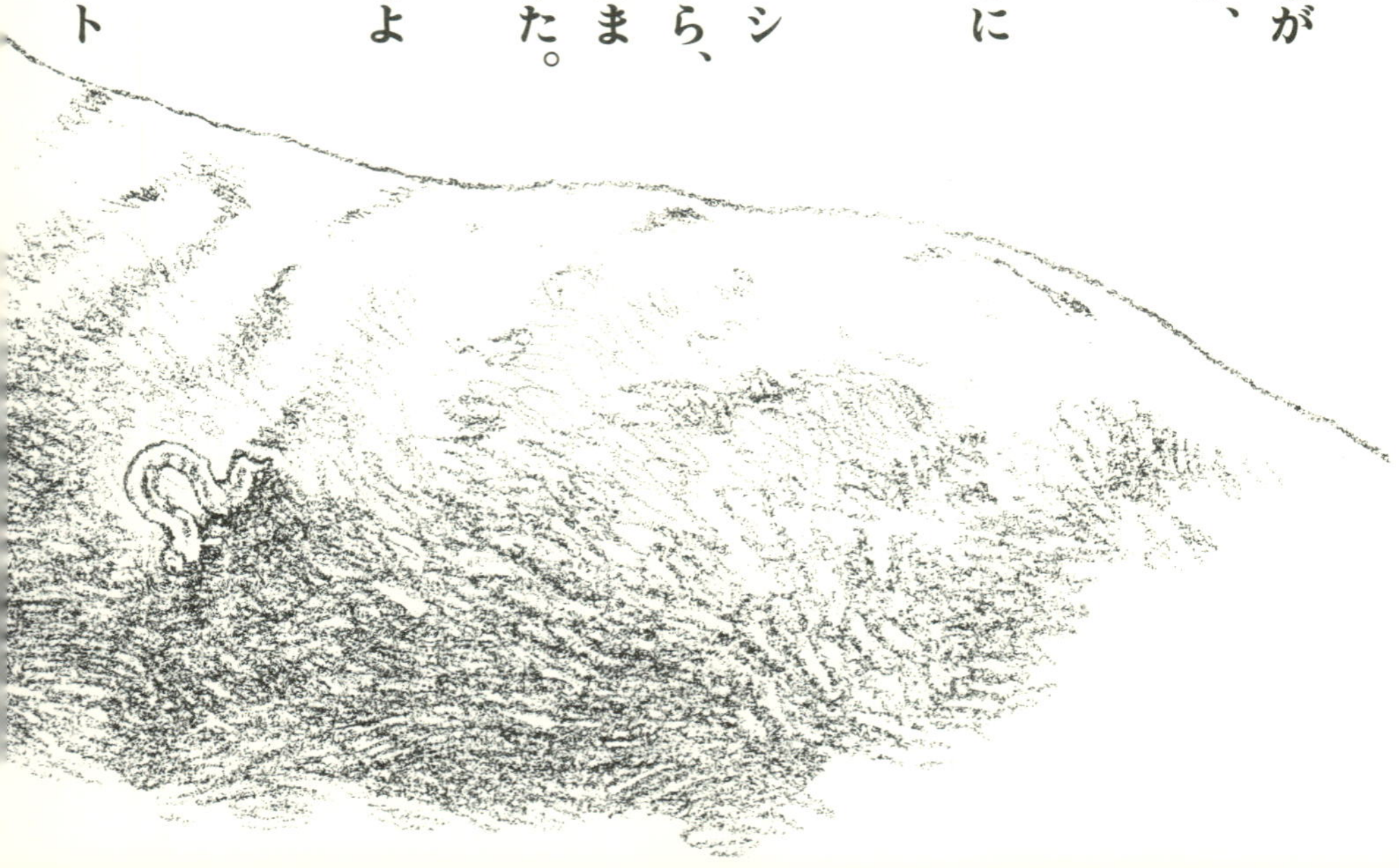

リムシがきいたのか」

テンのチムチムが、ヒックのそばににじりよって、よこ目で顔をのぞきこんだ。

「シャクトリムシは、ぼくのシャックリにはあまりきかなかったよ。それより、ミロロがいうように、じっとしずかにしているのが、ぼくには一番ききめがあった。ほら、さっきから、ちっともシャックリがでないだろ」

みんながうなずいた。根っこのうらがわに行きかけたシャクトリムシが、立ちどまり、まるめた体をのばしてふりむいた。

「シャックリがでたら、気もちをおちつかせ、しずかに休むのがいいと、ミロロは、かあさんからおそわったんだって。それには、ぬしさまのところが一番と、さっきまで、ぬしさまの木の上に、いっしょにいてくれたんだ。ミロロってやさしい女の子さ」

ヒックが話しおわると、ウロロは、元気なく体をま

るめて、うつむいてしまった。

「ヒックには、シャクトリムシより、やさしいミロロのかいほうのほうが、ずっとききめがあったというわけだ、てんててん」

テンのチムチムが、両手《りょうて》をふっておどけてみせると、

「それはそうと、テンのチムチムは、どんななやみをもっているのかね」

カメが首をすこしひっこめながら、ゆっくりまばたきをした。

「えっ、いいんですよ、ぼくのことなんか。テンのチムチムに、なやみはにあわない。それより、そこにいるムササビのウロロ、さっきから元気がないよ。なやみがあったら、ぬしさまにうちあけよう。するとたちまちなやみはかいけつ、きみに明るいあすがまっている、てんててん」

テンのチムチムがウロロの顔をのぞきこむと、カメがひっこみかけた首をあげて、ウロロを見た。

「えっ、ウロロがどうかしたの」

ヒックがしんぱいそうにウロロを見ると、

「べつに、おれ、なんでもないぜ、おまえ」

ウロロはあわてて、

「ぬしさまの木の上でも行くか、ねむくないのか、おまえら」

頭の上のわしとテントにむかって、小声でいった。わしはちょうど、出発《しゅっぱつ》の前にひとねむりしておきたいと思っていたところだった。

「うん、ちょっとひとねむりするか」

わしがいうと、

「するか、ひとねむり」

テントも小声でいった。

「おれ、こいつらねかしてくる」

ウロロはみんなにいって、ぬしさまのみきにとびついた。

ウロロはすばやくのぼっていった。みきはとちゅうで、大きなてのひらをひらいたように、六、七本のえだにわかれ、ななめよこに広がっていた。太《ふと》いえだは身《み》をくねらせながら、さらに何本ものえだにわかれ、ぬしさまのまわりのまるい広場《ひろば》の空をおおいつくしていた。えだをのぼっていくと、ずっと下の方に、カメやテンのチムチムたちのすがたが見えた。

「ムササビウロロのなやみはどんなこと、てれてるてれてる、てんててん」

テンのチムチムが上を見あげて、はやしたてているのがきこえた。

「ひとそれぞれ、みんなの前でいえないなやみだってあるさ、気にすることはないよ」

下の方でカブトムシの声がした。

「おれ、べつに、気にしてないぜ、おまえ」

ウロロが、小さな声でいった。

えだのわかれたところに、わしが入るのにちょうどいいくぼみがあった。

ウロロが、頭の上に手をさしだしてくれた。わしはテントを頭の上にのせたまま、ウロロの手にのりうつり、えだの上におろしてもらった。

「ウロロ、だいじょうぶ?」

わしがいうと、

「なんでもねえよ、おれ、そのあたり、ぶらぶらしてくるからな、ねてろ、おまえら」

ウロロはわざとわらって見せて、さっととなりのえだにとびうつり、くらがりの中にすがたを消《け》した。

わしはくぼみに入ると、リュックをおろしてよこになった。テントは、あくびを一つすると、リュックのポケットにもぐりこんだ。

「ひとねむりしたら、でかけよう」

「でかけよう……、ひとねむり……」

テントがねむそうにいった。

すこし風が吹《ふ》いて、ぬしさまの木の葉《は》がゆれると、月明りが、白い花びらのようにわしたちのねどこにふってきた。まぶたがトロンとたれさがり、わしの体も月の花びらといっしょにヒラヒラとゆれた。

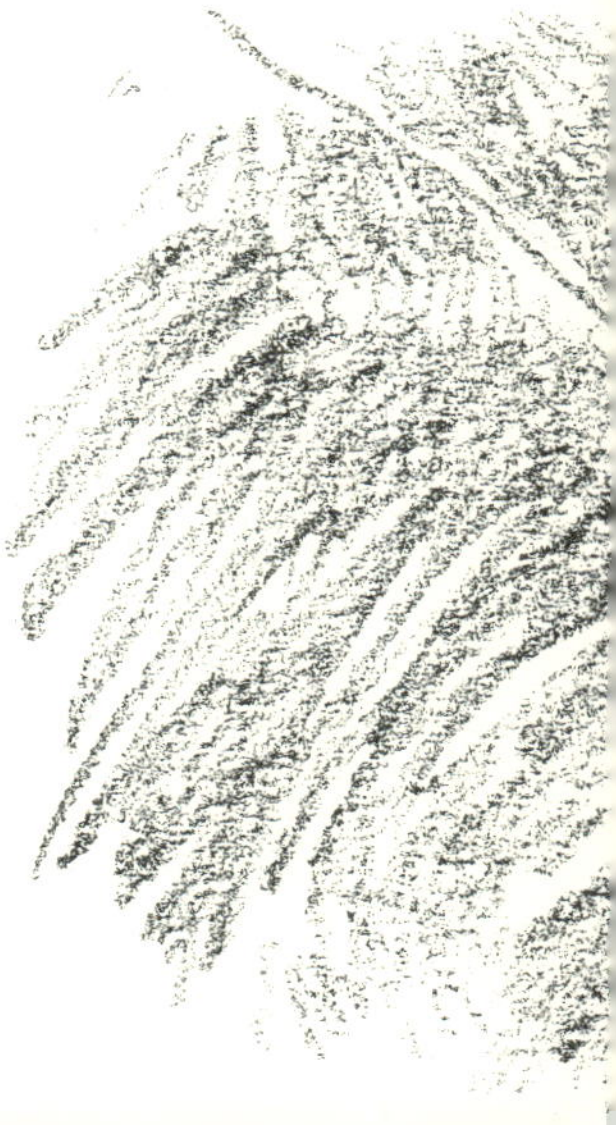

「ウロロ、かわいそうに、なやんでるんだ」

キッキが、あごを両手《りょうて》の上にのせて、てんじょうを見つめた。

「なやんでるんだ」

クックも両手にあごをのせた。

「ウロロがなんでなやんでるのか、クックはわかってるのか？」

セッセがクックをよこ目で見た。

「わかってるよ、鼻《はな》が赤くなるんだ」

クックが、ゆび先で鼻をさすった。

「クックも鼻が赤くなることある？」

キッキがわらいながらいうと、

「あるよ、さむいときとか、かぜひいたときとか、なにかにぶつけたときとか……」

ククが考えながらいった。キッキはまたククとわらって、

「セッセは?」

というと、

「べつに、おれは、赤くなんかならないよ」

セッセがあわてて、鼻をかくした。

「セッセもクックも、まだ子どもだな」

キッキはおとなぶって、

「おじいちゃんも、わかいとき、鼻が赤くなったことある?」

と、トガリィじいさんの顔をのぞきこんだ。

トガリィじいさんの鼻が、ほんのすこし赤くなったように見えた。

9 ミロロのなやみ

どのくらいねむったのだろう。だれかの声で目がさめた。

「ぬしさま、きいてください。わたし、このごろへんなのです」

小さいがはっきりした声だ。わしはそっと体をおこして、声のする方を見つめた。わしのいるとなりのえだに、むこうをむいてすわっているムササビがいる。

「わたし、このごろ鼻《はな》が赤くなるんです。ずっとっていうわけじゃなくて、だれかにであったときとか……」

なんだかへんなんだ。ウロロと、おなじことをいっている。すると、

「その、だれかが赤いと、きみの鼻が赤くなるの？」

べつの声がいった。よく見ると、ムササビのいる前のえだに、アマガエルが一ぴきすわっていた。

「そのひとの鼻が赤くなると、わたしの鼻も赤くなるっていうことは、あったかもしれない」

ムササビがアマガエルを見つめた。

「ぼくらには、よくそういうことがあるんだ。であっただれかが赤いと、ぼくらも赤くなる」

アマガエルがいうと、またべつの声が、

「あたくしも、この前そんなことがありましたわ」

といった。アマガエルのいるもう一本上のえだに、大きなガが一ぴきとまっていた。ガは、羽《はね》をパタパタと動《うご》かして、

「あたくし、ぬしさまの木のてっぺんで、夜がくるのをまっていましたの。そしたら、空がまっかにもえてきたのです。ヒグラシたちがくるったように鳴くと、あたくしの羽がまっかにそまっていたんです」

「その羽がまっかに？」

アマガエルが、目をまるくしてガを見あげた。

「それはそれは、うつくしい赤でした。じぶんがこんなにきれいだったなんて、ゆめのようでした。でも、それは、ほんのわずかな時間でした。やがて空がむらさきいろにかわり、ヒグラシたちが鳴きやむと、あたくしの羽《はね》も、もとのいろにもどったのです。あたくし、もう一度《いちど》、あんなにうつくしいじぶんに、なってみたい」

ガは、羽のうしろの方を、小きざみにふるわせた。

すると、またべつの声が、ガのとまっているえだの上からきこえた。

「アマガエルも、ガも、ちっともわかっていないでしょう」

そういいながら上から首をニューッとたらしたのは、ヘビだ。大きなアオダイショウが、ガのとまっているもう一本上のえだにからみついていた。ガが、羽をヒラヒラと動《うご》かして、とまり場所《ばしょ》をかえ、アマガエルはえだの下がわに、体をうつした。

「赤くなるといっても、ムササビの鼻《はな》が赤くなるのと、アマガエルの体が赤くなるのと、ガの羽がゆうやけにそまるのとでは、いみがちがうでしょう」

ヘビは首をもちあげ、ペロペロと赤いしたをだした。

「ムササビの鼻《はな》が赤くなるのは、心の中が、そとにあらわれるということなのでしょう」

もえるような赤い目で、じっとムササビを見つめた。

「あなたは、だれに会っても、鼻が赤くなるというわけではないのでしょう。そのだれかは、とくべつのひとなのでしょう」

アオダイショウにいわれて、ムササビは、両手《りょうて》で鼻をおさえ、はずかしそうにうつむいた。

「その、とくべつのだれかも、あなたに会うと、鼻が赤くなるのでしょう」

アオダイショウは、また首をスーッともちあげて、だれかをさがすように、あたりを見まわした。

鼻が赤くなるとくべつのだれか……。わしははっと気がついた。もしかしたら、それはウロロのことじゃないか！　すると、ウロロがいっていたかのじょというのは、このムササビの女の子のことかもしれない。

とすれば名前はミロロ。

わしはアオダイショウが気になったが、思いきって立ちあがった。

「きみ、ミロロ!?」

わしがいうと、ムササビもアオダイショウもアマガエルもガも、みんなおどろいたように、こっちをふりむいた。

「ええ、わたしはミロロよ」

ミロロはけげんそうな顔でわしを見て、

「どうして、わたしの名前をしってるの?」

といった。

「ウロロがきみのことを話していたからさ。ぼく、ウロロとともだちで、トガリィっていうんだ」

わしがいうと、ミロロは小さくうなずいて、そっと鼻に手をやった。鼻が赤くなったように見えた。

――おれ、かのじょに会うと、鼻が赤くなる。

――おれ、かのじょ、すきだけど、かのじょ、おれ、

すきじゃないかも……。

わしは、ウロロがいっていたのを思いだした。

「ウロロはいま、ぬしさまのところへ来ているよ。さっきまで、ここにいたんだ。やっぱり、だれかに会うと、鼻《はな》が赤くなるっていってた」

わしがいうと、アオダイショウがミロロの顔をのぞきこんで、

「そのだれかって、それはミロロでしょう」

といって、えだからたらした首を左右にふって、シタをペロペロとだした。ミロロは、両手《りょうて》で鼻をおさえて下をむいてしまった。ゆびのあいだから鼻が赤くなったのが見えた。

「しんぱいいらない、しんぱいいらない。ぼくらにも、そういうことはよくあることさ。だれかが赤いと、ぼくらも赤くなる」

アマガエルがいうと、

「そうよ、わたくし、もう一度《いちど》だけでいい、羽《はね》を赤く

そめてみたいわ」
ガが、羽をヒラヒラと動《うご》かした。

10

あいつのなやみ

月はいつのまにか、すっかり西の空にかたむいて、ミロロのよこ顔にあわい光をうつしていた。

「ウロロ、きっともうすぐもどってくるよ。ここでまっていよう」

わしがミロロにいうと、

「まっていよう、ここで」

テントがリュックのポケットからはいだしてきた。ミロロはおどろいたように、テントに顔を近《ちか》づけた。

「ぼくのともだちのテントだよ」

わしがしょうかいすると、テントはリュックの上に立ちあがって、ミロロを見あげた。

「ミロロだよ、ほら、ウロロがいってた」

わしがいうと、テントはきゅうにてれて、

「ウロロが、ミロロだよ、といっていた。おれ、かのじょ、おれ、鼻《はな》が、おれ、いえない、といってた」

と、リュックの上をくるくると三回まわった。

「よろしく、テント」

ミロロがそっとゆびをさしだすと、テントはミロロの手の上にかけあがった。

「もうすぐ、月はトガリ山のむこうにしずむの。そしたら夜明けがくる。ウロロはきっとここへもどってくると、あたしも思うな」

ミロロは、ウロロをさがすように、くらがりをのぞきこんだ。

そのときだ、

カロン　カロン　カロン　カロン

森のくらやみの中から、あいつのすずの音がきこえた。

ミロロは体を前にのりだして、耳をすました。

カロン　カロン　カロリン
カロン　カロリン　カロン
音はだんだん近《ちか》づいてくる。
「あらら、またあのネコだ、気をつけろ、てんててん」
ぬしさまの根《ね》もとで、テンのチムチムの声がした。
ヒックがぬしさまのみきにとびつき、のぼってくるのが見えた。
「またあのネコが、だれかをおそったのでしょうか」
トラツグミが、わしのいるえだにのぼってきた。
カロン　カロリン
チュッ　チューッ
すずの音といっしょに、ネズミのさけび声がきこえた。
「ネコがネズミをおそったのでしょう」
アオダイショウが、頭をもちあげ、
くらやみをのぞきこんだ。
チュッ　チュッ　チューッ

カロン　カロリン　カロリン

くらがりからアカネズミが走りでてくると、すぐうしろから、あいつが、すずを鳴らしておいかけてきた。

「おっと、おっといかん、てんててん」

テンのチムチムが、あわてててぬしさまの木のうらがわにとびこんだ。アカネズミは、カメのいる根っこの下にもぐりこんだ。

「これ、ぬしさまのもとでは、食いあわぬのが、この森のやくそく」

カメがナメクジたちを背《せ》中《なか》にのせたまま、体をせいいっぱいおこし、首をのばしてさけんだ。

カロン!

あいつが立ちどまった。すると、とつぜんあいつの頭の上に、フクロウが音もなくおそいかかった。

ギャオッ!

あいつはふいをつかれ、ひっくりかえった。

フクロウは羽《はね》を広げ、両足《りょうあし》をつきだし、あいつの顔の前にするどいつめをたてた。あいつは手足をふりまわし、口をカッとあけて、フクロウにたちむかった。

カロン　カロン　カロン　カロン
はげしくすずが鳴った。

フクロウがあいつからはなれ、まいあがったときだ。

ドドドドドドド……

ぶきみな音が地の底《そこ》からわきあがった。

シャシャシャシャシャ……

ぬしさまのえだがゆれ、木の葉《は》が鳴りだした。

わしはえだにしがみついた。

木の葉のあいだからこぼれおちた銀《ぎん》いろの月の光が、ぬしさまの木の中でうずをまいた。

「トガリ山がおこっているわ」

ガが羽をふるわせた。

「ぬしさまが、おこっている」

アマガエルがささやいた。

「だいじょうぶか、おまえたち」

とつぜん、ウロロがわしたちのいるえだにとびうつってきた。

「あっ、ウロロ！」

わしがいうと、ウロロははっとしたようにミロロを見た。ミロロが小さくうなずいた。ふたりの鼻《はな》がすこし赤くなったように見えた。

あいつは、はらを地面《じめん》につけてよつんばいになり、

頭を下げ、うわ目づかいにぬしさまを見あげた。

やがてぶきみな音がしずまり、木の葉《は》が鳴りやむと、あいつはさっと身《み》をひるがえし走りだした。

カロン　カロン　カロン

すずを鳴らし、あいつがくらやみにきえると、イノシシがもどってきた。

「いま、すずの音がきこえたが、あのものいかがいたした」

イノシシが息《いき》をきらしながら、あたりを見まわした。

すると、森の中から、あいつの声がひびいてきた。

「ほこり高き山ネコとなり、
生きていくことこそわが人生と、
心にちかいしわれなれど。
山のネズミをつかまえて食い、
山の鳥をつかまえて食い、
生きていくことこそ山ネコの人生と、
心にちかいしわれなれど」

あいつの声は、月にてらされた夜明け前の森の中に、ものがなしくこだましました。
「ああ、くちおしや首のすず」
カロン　カロリン
「鳴ればにげゆく山のネズミ、鳴ればにげゆく山の鳥、
ああ、くちおしや首のすず」
カロン　カロリン
「首のすずさえなかったら」
カロン　カロリン
「首のすずさえなかったら」
カロン　カロリン
あいつの声とすずの音は、
だんだん小さくなってきこえなくなった。
「たしかに、あのネコのいうとおりだ。首に人間のすずをつけたままでは、一人前の山ネコにはなれないよ。だれか、あのすずを、とってやるわけにはいかないの

かねぇ」

カメが首をのばし、すずの音がきえた森の方を見つめた。

「おっとまった、てんててん。そのすずのおかげで、さっきはいのちびろいをしたんだぜ」

テンのチムチムが、ぬしさまの木のうらがわからでてきた。

「そのとおり、すずのおかげでたすかったでチュ。テンもキツネもフクロウも、みんなすずをつけるといいのでチュ」

根《ね》っこの下から、アカネズミが顔をだした。

「それなら、アカネズミもすずをつけたらどうなんだい、てんててん」

テンのチムチムがよこ目でにらみつけると、

「すずが鳴っても、ドングリはにげないからへいきでチュ」

アカネズミは口をとがらせ、そっぽをむいた。カメ

が、のばしていた首をゆっくりおろして、

「ドングリはにげなくても、テンもキツネもフクロウも大よろこびだよ。あんたさんが走れば、すずが鳴って、どこにいるかすぐわかってしまうからねぇ」

とわらった。

「カメのいうとおり、あのものが山ネコとして生きていくためには、人間のすずがもんだいでござる」

イノシシは目をつぶって考えこんだ。

「あいつのすず、とってやろうか……」

わしがいうと、

「トガリィ、食べられちゃう」

テントがいった。テントはいつのまにかミロロの頭の上にのぼっていた。ウロロがミロロを見た。ウロロとミロロの目があった。ふたりの鼻《はな》がまたすこし赤くなったように見えた。

するると、

「やあミロロ、ありがとう。おかげで、シャックリすっかりなおったよ」

ヒックが、わしたちのいる前のえだにとびうつってきた。

「よかったね、ヒック」

ミロロはそういって、ウロロのそばに体をよせた。

「よかったな、おまえ」

ウロロもいった。

「それじゃ、ぼくひと足先にかえるから、またね」

ヒックは、ぬしさまのななめのえだにとびつくと、カッカッとつめを鳴らしながらのぼっていった。

東の空が、ほんのすこしだけ明るくなってきたように思えた。

「トガリィ、テント、そろそろおわかれだな、おまえ」

ウロロがいった。

「トガリ山、ぬしさまのてっぺんから見てみるか、おまえ」

ウロロがわしに背中《せなか》をむけた。わしがウロロの頭の上によじのぼると、ウロロは一だん上のえだにとびつき、ななめにのぼっていった。ミロロはテントを頭の上にのせて、すぐあとからつづいた。

ぬしさまの木のてっぺん近《ちか》くのえだまでのぼって、ウロロとミロロはならんですわった。

「ほら、トガリ山が見えたぞ、おまえ」

ウロロがいった。トガリ山が青い夜の空に、かべのようにそそりたっていた。

「月が、トガリ山の中にしずむ」

ミロロがいった。トガリ山のてっぺんにかかった雲の中に、いま、まるい月がかくれるところだった。

「あのトガリ山の、てっぺんにのぼるのか、すげえな、おまえたち」

ウロロが、雲に入りかかった月を見つめながらいった。

「トガリ山のてっぺん、光っている」

ミロロの頭の上で、テントがさけんだ。月が雲の中にかくれると、トガリ山がふしぎな光をはなって、夜明け前の空にうかびあがった。わしたちは、しばらくだまったまま、トガリ山を見つめていた。

「気をつけていけよ、おまえ」

ウロロがいった。

「ありがとう、ウロロ」

わしがいうと、

「ウロロ、ありがとう」

テントも、ミロロの頭の上でいった。

「元気でね、トガリィ、テント」

ミロロが、ウロロの頭の上のわしにほほえみかけた。ミロロの大きな目に、うっすらと明るくなった夜明けの空がうつった。

「ミロロも、ウロロのことすきだったんだね、よかったな」

キッキが両手《りょうて》をにぎりしめた。

「ウロロとミロロはけっこんする?」

クックがキッキを見つめた。

「たぶんね……」

キッキが、トガリィじいさんの顔をのぞきこんだ。

「おじいちゃん、ウロロとはもう会えないの?」

クックもトガリィじいさんの顔をのぞきこんでいった。

「きっと、また会えると思うな」

キッキがいうと、

「そうだよ、もう会えないなんて、つまんないよ」

セッセもうでぐみをして、トガリイじいさんの顔をのぞきこんだ。トガリィじいさんがにっこりうなずいた。

「ウロロとミロロのなやみも、ヒックのなやみも、トラッグミやシャクトリムシのなやみも、みんなぬしさまに話したら、かいけつしちゃった、ふしぎだな」

キッキが首をかしげて、顔を左手の上にのせた。

「ぬしさまはなにもいわないけど、みんなが、いろんないけんをいって、かいけつしたんだ」

セッセがうでぐみをしたままいった。

「でも、ぬしさまは、ちゃんときいてるんだと思うな」

キッキがいうと、

「トガリ山もきいてると思うな」

クックがうでぐみをしていった。

「だけど、あいつのなやみはかいけつしなかった」

セッセがぽつりといった。

「それで、あいつはどうなるの」

キッキがトガリィじいさんを見た。

「あいつ、なんだか、かわいそう」

クックがうつむくと、

「だれか、すずをとってやればいいのに」

キッキがほっぺたに手をあてた。

「すずをとってやったら、食べられ

ちゃう」

　クックがしんぱいそうに顔をあげると、

「イノシシだったら、食われないいんじゃないの」

　セッセがうでぐみをほどいた。

「そうだよね、せっしゃの手ぬかりなんていってないで、じぶんですずをとってやればいいんだ」

　キッキがいうと、

「そしたら、みんな食われちゃう！」

　クックが立ちあがっていった。

「へいきよ。ほら、前にヤマバトがいってたでしょ、タカはおれらをおそうのがしごと、そしたら、にげるのがおれらのしごとでっぽって。み

んなにげればいいんだし、あいつだって、一人前の山ネコになったら、おなかがすいたときしか、おそわないと思うな。山の生きもののやくそくだもんね、おじいちゃん」

キッキがトガリィじいさんを見つめた。

「ふむ、生きものは、ほかの生きものたちのいのちをもらって生きていく。だから、山の生きものは、けしていのちをそまつにしないんだ」

トガリィじいさんがほほえんだ。

「さて、このつづきは、またあした」

トガリィじいさんが立ちあがると、

「そうだ、みんなで、シャクトリムシになってかえろう」

キッキがいった。

「一シャク、一シャク、一シャク」

セッセとクックが、大またではかりながら歩きだした。

「二シャク、二シャク、二シャク……」

「三ジャク、三ジャク、三ジャク……」

三びきの声が、だんだん遠《とお》くなっていくのを、トガリィじいさんはにこにこしながらきいていた。

いわむら　かずお

1939年東京に生まれる。東京藝術大学工芸科卒業。

1975年東京を離れ、家族とともに栃木県益子町に移り住む。

「14ひきのシリーズ」（童心社）や「こりすのシリーズ」（至光社）など多くの作品が、フランス、ドイツ、中国、スイスなど多くの国でもロングセラーとなり、世界のこどもたちに親しまれている。

『14ひきのあさごはん』（童心社）で絵本にっぽん賞、『14ひきのやまいも』で小学館絵画賞、『ひとりぼっちのさいしゅうれっしゃ』（偕成社）でサンケイ児童出版文化賞、『かんがえるカエルくん』（福音館書店）で講談社出版文化賞絵本賞、エリックカールとの合作『どこへ行くの？ To See My Friend!』（童心社）でピアレンツ・チョイス賞（アメリカ）受賞。

1991年日本各地の森や山を歩き取材を重ねた「トガリ山のぼうけん」シリーズがスタート、1998年全8巻完結。

1998年栃木県那珂川町に「いわむらかずお絵本の丘美術館」を設立。絵本・自然・こどもをテーマに活動を続けている。

「ゆうひの丘のなかま」シリーズ（理論社）「ふうとはな」シリーズ（童心社）「カルちゃんエルくん」シリーズ（ひさかたチャイルド）などは、美術館のある「えほんの丘」に暮らす生きものたちを主人公に描いた作品である。

2014年、フランス藝術文化勲章シュヴァリエを受章。
＊本書は1991年～1998年に刊行された「トガリ山のぼうけん」シリーズ（全8巻）の新装版です。

トガリ山のぼうけん⑤
ウロロのひみつ　新装版

2019年10月　初版
2019年10月　第1刷発行

文・絵　いわむらかずお
ブックデザイン　上條喬久
発行者　内田克幸
編集　岸井美恵子
発行所　株式会社理論社
東京都千代田区神田駿河台二-五
電話　営業　03-6264-8890
編集　03-6264-8891
URL　https://www.rironsha.com
印刷・製本　中央精版印刷株式会社

ISBN978-4-652-20345-3
NDC913 A5判 22cm 159p

トガリ山のぼうけん（全8巻）
いわむらかずお
第①巻『風の草原』
第②巻『ゆうだちの森』
第③巻『月夜のキノコ』
第④巻『空飛ぶウロロ』
第⑤巻『ウロロのひみつ』
第⑥巻『あいつのすず』
第⑦巻『雲の上の村』
第⑧巻『てっぺんの湖』